JN028084

「好き!」の先にある未来

わたしたちの理系進路選択

Kato Misako

加藤美砂子 編著

岩波書店

この本の内容

🔍 この本は「理系科目が好き！」「将来は理系に進みたい」、でも「どんな進路や仕事があるんだろう？」と悩む女子中学生・高校生に向けて、理系に進んだ 11 人の先輩が自分の体験をもとに進路や仕事について語ります。

🔍 11 人の中には「生き物が好き」「料理が好き」など、「好き」が決め手となって理系の進路を選択した人もいれば、苦手だった物理や数学がいつの間にか第 1 志望や職業につながった人もいます。

🔍 11 人の軌跡を知ると、「数学が苦手だから文系」なんて消極的な選択ではなく、自分の「好き」や「面白い」を大事にするために、苦手な科目の勉強も少し頑張ってみようかな、と思えるようになるかもしれません。また、まずは自分で自分のやりたいことを考える大切さに気が付くかもしれません。

大学で「理系」の学部に進学するという選択は 11 人に共通していますが、その先は"十一人十一色"です。学部も、専門も、そして職業や勤務先もいろいろです。「こんな学部があるんだ」「大学院という選択肢もあるんだ」「こんな仕事があるんだ！」「こんなふうに働いてみたいな」と、自分のライフキャリアを考える際の参考になるはずです。

11 人の執筆者は、お茶の水女子大学理系女性育成啓発研究所（2022 年 3 月まではお茶の水女子大学理系女性教育開発共同機構）が毎年行っている「リケジョ−未来シンポジウム　サイエンスの学びから将来の夢へ」で、中高生たちに体験を話された方々です。

目　次

この本の内容

P3「稲の花」の写真撮影は宇根豊、P33「ゼニゴケ」の
撮影は鵜沢美穂子、そのほかの写真は 123RF による。

"おいしい"の笑顔を、世界の共通語へ

中原有希子（味の素）

私の夢

　タイトルの言葉は、高校時代から変わらぬ私の夢です。大切な人の笑顔を見ることが好きで、そのための労力は惜しみません。幼い頃からお菓子作りが好きな私は、とりわけ誕生日や記念日などのお祝い事の時は張り切って準備します。私の経歴は、生粋の「リケジョ」とは言い難いと思いますが、「食」が好きで、「台所の科学」に魅了されて栄養学を学び、やりたいことを貪欲に追い求め、キャリアもライフイベントも夢を形にしつつあります。そんな私の話に少しお付き合いください。

　私は、味の素株式会社に勤めています。味の素グループは、100年以上前に「おいしく食べて健康づくり」という志をもって創業しました。世界36の国・地域で、約3万5000人の従業員が働いています。その中で私は、彼らが健康でイキイキと働き続けられるように、食や栄養の知識を身に付けるための

教材作りやその普及活動を担っています。それまでは法人営業、役員秘書、海外法人向けの品質保証窓口など、様々な仕事を経験してきました。現在は、夫の赴任先のタイ王国で生後 11 カ月になる子どもを育てながら働いています。

🖊 進路選択のきっかけ

　私の専門分野は食物栄養学、中でも公衆栄養学です。人々の生活の場（学校・職場・地域・国・地球）での食生活、特に栄養と健康との関わりを研究し、栄養上の問題点を見つけ、その改善や、疾病予防に重点を置く学問です。そもそも、なぜ食に興味を持ち、管理栄養士養成課程がある大学へ進学するに至ったか、きっかけとなったエピソードを紹介します。1 つめは、私の趣味であるお菓子作りです。料理好きな母から影響を受け、イベントの度に手作りお菓子を焼いていました。

　もう 1 つは、「食」に関わる研究や体験をしたことです。小学校の夏の自由研究では、自ら食をテーマにすえ、「お米」や「ヨーグルト」について研究しました。また、小 5 の総合的な学習の時間で体験した「お米作り」は強く印象に残っています。田植えや稲刈りだけでなく、週末には片道 1 時間ほどかけて自主的に田んぼへ通い、稲の成長記録をつけました。真夏の暑

い日、日中数時間しか咲かない稲の花を見た時の
感動は、今でも鮮明に覚えています。

　高校で化学を学び始めると、「台所に潜む化学」
という視点から「食」を科学的に研究することへ
の関心がますます高くなりました。文部科学省による先進的な
理数教育を実施するスーパーサイエンスハイスクール（SSH）の
指定校だった母校で、私は「ジンジャーミルクプリンが固まる
条件」という研究に取り組みました。寒天やゼラチンを使わな
くても固まるこのデザートについて、しょうが汁や牛乳を混ぜ
る割合や温度など様々な条件で実験を重ねて成功率の高い独自
のレシピを作成しました。仮説、実験、考察を繰り返す中で、
研究の面白さと、実用につながるダイナミックさを何度も体感
し、次第に「食」を科学的に研究したいと考えるようになりま
した。

もう1つの興味と関心

　科学の世界に魅せられる一方で、私にはもう1つ興味・関
心が高い分野がありました。それは、国際協力です。中学在学
中に体験した国際ボランティア活動や海外の姉妹都市との交流
を通して、国際貢献に心を惹かれるようになりました。そのた

め高校でも、積極的に国際活動に参加しました。今でも忘れられないのは第1回全日本高校模擬国連大会で優勝し、その世界大会へ日本代表として出場したことです。模擬国連とは、2人1組で世界各国の大使となり、実際の国連会議さながら問題の解決策を探ろうと討議する大会です。

　世界大会は米国ニューヨークの国連総会議場で行われ、まさに憧れの舞台に立った瞬間でした。そもそも日本で高校生向けの全国大会が開催されるのは初めてで、会議のルールを理解するところから準備を始めました。しかし、いざ大会に臨むと、周りは帰国子女のペアでチーム内の打合せも英語を用いていたり、議論の進め方のノウハウを持っていたり、自分達との違いに圧倒されました。それでも、準備してきた情報と戦略をもとに関係国の大使（高校生）と議論を重ねた結果、日本大会では最優秀賞、世界大会ではベストポジションペーパー賞（議題に関する自国の立場・主張をまとめた事前提出文書に対する賞）と、両大会での受賞につながりました。

　模擬国連は「知の甲子園」だと言われますが、「世界が抱える問題は教科を超える」、すなわち、学びを実践に移すことの必要性を実感しました。学校の勉強を、ただ進学のためのものと考えるのはもったいないと感じた体験でもありました。この

時のテーマは「地球温暖化」でしたが、私たちが担当したブラジルやマダガスカルに関して、日本語でアクセスできる情報がとても限られていました。しかし、英語を使うと、より幅広い情報を入手できることが分かりました。さらに学校で習った生物多様性や時事問題の背景に関する知識も大いに役に立ちました。世界各地から集まった高校生と共に、1つのテーマをみんなで考える場が持てたことは、私にとって貴重な出来事となりました。

　「食」への関心が強くありながらも、国際協力への憧れも捨て難く、高1で決める文理選択では文系を選びました。国際教養学や国際関係法などを学び、世界の舞台で活躍したいと考えたからです。しかし、その後に体験した模擬国連で大きく考えが変わりました。国際問題は様々な要素が複雑に絡み合っているため、解決に向けて何かをしたくても、アプローチすらできないことがあります。けれども専門分野を持つことで、そこからできることを探すことができます。いつからか私は、大学で自分の専門分野を磨き、それを活かして国際貢献をしたいと考えるようになりました。そして、その専門分野として、幼少期から高い関心のある「食」すなわち「栄養学」を選びました。

🖋 自分が選んだ決断に自分で責任をもつ

　進学先としてお茶の水女子大学を選んだのは、国家資格である管理栄養士の養成課程があること、さらに、「学術的、国際的視野を持つ女性リーダー」の育成を目指し、少人数制の高度な専門教育を受けられる環境があったことが主な理由です。

　進学した生活科学部食物栄養学科は、必修科目が多く、慌ただしい日々を送っていましたが、サークル活動やアルバイトにも精力的に取り組みました。特に熱心に取り組んでいたのは「TABLE FOR TWO」(以下、TFT)という活動です。これは、メニューや食品の購入代金に含まれる 20 円分を開発途上国の子ども達の給食として寄付することにより、途上国の飢餓と、先進国の肥満や生活習慣病の解決を同時に目指す社会貢献活動です。私は、母校の学生食堂に TFT メニューを開発・導入し、売り上げを促進する活動を率いていました。食堂部主任のもとへ何度も通い、学生食堂の価格設定の仕組み、利用者の嗜好や曜日ごとの来客数の変動を理解したのち、そのデータを踏まえ、麺メニューに特化したキャンペーンの実施を提案しました。野菜がたっぷり摂れるヘルシーな麺メニューを「イケ麺シリーズ」と名付け、広報活動に力を入れたことも功を奏し、販売食

数が2倍（全体売り上げの20%）まで伸び、累計約1万食の給食をアフリカへ届けることができました。また、この「イケ麺シリーズ」が成功事例として全国に広まりました。食堂運営側が定めた原価上限やシンプルな調理工程と栄養を考慮しながら独自メニューを考案し、改良を重ね、販売促進のための施策を練る。学生の立場で商品開発の流れを体験できた貴重な経験でした。

　それまで「強く望めば夢や目標は実現できる」と本気で信じていた私でしたが、就職活動で、初めて自分の思い通りにならない体験をしました。自分なりに頑張りましたが、希望する企業へ想いは届きませんでした。そして悩んだ末、大学院へ進学することを決意します。進路を報告した〝人生のメンター〟からは、「自分の人生、自分が選んだその決断に自分で責任をもつんだよ」という言葉をもらいました。人生には選択の場面が幾度となく訪れ、時には誰かに相談しながら、悩み、考え、自分なりの決断をします。その度に私は、この言葉を思い出します。そして、決断した後は、選んだ道が正しかったと納得できるような行動を積み重ねることを意識しています。

　そんな複雑な思いを抱えて、2年間の大学院生活はスタートしました。大学院在学中には、東アフリカに位置するルワンダ

共和国の東部農村地域に計7週間滞在し、食事調査を行いました。現地では食材の下処理から始め、火起こし、調理、配膳、食事し終えるまで、毎食約2時間かかります。私の仕事は、1世帯につき1日滞在し、朝から晩まで家族一人ひとりが、何をどれだけ食べたのか、すべて秤量記録することです。これは世帯員、特に調理担当者の心理的負担が大きい調査といえます。その中で私は、通訳者と世帯員との会話から現地語を聞き取り、音を真似て口にすることで覚え、意思疎通を図ろうと努めました（当時覚えた現地語・キニヤルワンダ語での自己紹介は、今でも私の特技の1つです）。手の空いた時間には子どもたちと遊び、水汲みへ同行するため片道3kmの急な坂道を往復した日もありました。その結果、別れ際にお礼の気持ちを伝えると、「あなたを家に迎えられて私たちも嬉しかった」という言葉をいただくほどの信頼を得て、のべ53世帯の食事調査を無事に終えることができました。

　調査系の研究においてフィールドワークは、ほんの一部にすぎません。在学中は、土日も含め毎日のように研究室へ通い、研究費獲得のために書類を書いたり、データを集計・解析したり、論文を書いたり、学会発表に向けて準備をしたりして、目まぐるしい日々を過ごしました。その2年間で、学術論文を5

本執筆し、国際学会を含む学会で6回発表を行いました。大変と感じたことも多々ありましたが、研究三昧の日々が、今の私を支えているといっても過言ではありません。加えて、物事を論理的に考え説明する力や、事務処理能力、英語力など、多くの力を養うことができました。困難な状況も前向きに捉え、挑戦し続ける姿勢は、研究生活を通じて身に付きました。

🖋 夢の実現と仕事

　タイトルに掲げた夢の実現のためには、開発途上国の栄養改善と、先進国の過剰栄養による健康課題を解決しなければなりません。その双方にアプローチできるのは、「おいしさ」と「いのち」の素、アミノ酸のスペシャリストである味の素での仕事だと考えました。今日の頑張りや明日の活力を食卓から支える仕事に誇りを持ち、世界のフィールドで挑戦し続けたいという想いから入社しました。入社5年目に、夫の海外赴任を機に結婚し、当初は、休職して帯同する予定でした。しかし、会社から新しい働き方「どこでもキャリア」を提案され、そのテストケースとして私自身もタイで仕事を続けることになりました。これは、多様な働き方を認め、社員のキャリアをつなぐために新しくできたもので、制度化に向けた課題提起、解決

策・改善策の提案を行い、その充実に貢献しました。育児休職を経て、再びタイで働く機会をいただけたことを嬉しく思っています。会社の制度、上司・同僚、そして家族の理解と協力のおかげで、ライフイベントと両立しながら、長く働き続けたいという想いを実現できています。国内外で多岐にわたる事業を展開する会社だからこそ、様々な仕事に挑戦できることも、醍醐味の1つだと思います。

🖋 出会いを大切に！

　最後にあなたへエールの言葉を贈ります。「今しかできないこと」を一生懸命にやってください。夢中になって取り組んだことが1つでもあれば、それは、今後の人生において、かけがえのない経験になります。人生100年時代。これから、様々な人・もの・出来事に "出会う" でしょう。物事にはすべて意味があると言われますが、出会いも同じです。会うべき時に、会うべきものに会います。一瞬も早くなく、遅くもなく。ぜひ、一つひとつの出会いを大切にしてください。

「ワクワク」の気持ちを追いかけて

伊藤舞花（ベネッセ）

🔍 「生き物」大好き！

　突然ですが、皆さんは小さい頃から好きなものや、ずっとハマっていることなどはありますか？　私はあまり１つのことにハマることがない性格なのですが、めずらしく幼い頃からずっと好きで魅了され続けているものがあります。それは「生き物」です。今も昔も、生き物を見ること、触れることが大好きです。幼い頃から神奈川県の海沿いの街に育ったこともあり、物心ついた時には、海や川で小さなカニやエビ、ハゼやザリガニなどをバケツ片手に追いかける日々を送っていました。生き物好きから始まって、小学校や中学校に上がってからは５教科の中では「理科」が一番好きになり、他教科よりも一段と気合いを入れて授業を受けていたのを覚えています。

📌「好き」が進路につながる

そんな私ですが、初めて自分の「好きなもの」と、「進路」をつなげて考え始めたのは、高校1年生の時です。それは、ある生物の授業がきっかけでした。皆さんは、タマネギの表皮細胞を顕微鏡（けんびきょう）で観察する実験をしたことはありますか。タマネギの白い部分から薄い皮をはぎとり、特殊な薬品で処理すると、細胞の「核」や「細胞壁」などを観察できるというものです。この実験自体は中学校ですでに習っていて知っていたのですが、ある日の高校の授業で「このタマネギの細胞を観察する実験方法を使って、何か自分で明らかにしたいテーマを1つ決めて研究してみよう。実験に必要なものは休み時間も自由に使ってよし。最後はレポートにまとめてみよう！」という課題が出ました。これは想像以上に大変な課題でした。それまでは教科書や先生が実験の目的や方法、まとめ方までを示してくれている

場合がほとんどでしたから、最初から全部自分で考え、結論まで出すという経験がなかったのです。テーマ決めからずいぶんと頭を悩ませ、参考文献なども

読みつつ、数週間かけてどうにかレポートにまとめたことを覚えています。課題に取り組んでいる最中は「もうやりたくない！」くらいに思っていましたが、いざ終えてみると、達成感とともに残ったのは「実験ってなんて奥深いのだろう。それに、生物のこともっと知りたい！」という気持ちでした。すっかり、実験の面白さに夢中になってしまったのです。それが、理系の大学進学を本気で意識するようになったきっかけでした。

　ところが理系進学という憧れを前に、1つ大きな問題が立ちはだかりました。実は、私は「数学が大のニガテ」だったのです。理系の大学に進学しようと思うと、どうしても数学を受験科目として使用する場合が多くなります。ですが、私は日々の数学の授業についていくだけでも精一杯で、テストも微妙な点数ばかり。先生にも「がんばって～」と言われてしまう状態でしたから、「やっぱり自分には理系は難しいのかな」と迷いました。

　そんなある時、お茶の水女子大学のオープンキャンパスを訪れる機会がありました。その際に学生さんに生物学科の研究室を案内してもらったのです。そこで初めて生で見た大学の実験設備、面白そうな研究内容、それを楽しそうに語る先生と学生さんの姿に「私も絶対に、ここで研究をしたい！」と強く感じ

ました。理系の学生生活を送る自分を想像して、ワクワクが止まらなくなったのです。その気持ちは「受験が上手くいかないかも……」という不安よりずっと大きく、「やれるだけやってみよう！」とついに理系の大学受験を決意したのでした。

それから必死に勉強をしました。とにかくニガテな数学は、得意教科にすることは厳しいけれど、せめて他教科の足を引っ張らない程度にすることを目標にしようと、勉強時間を増やしました。それでも簡単にはテストや模試で点が伸びず、「こんなにやっているのに……」と悔しさに涙しながら勉強したこともあります。いよいよ気持ちが折れてしまいそうな時は、大学のホームページを見て「やっぱりここに行って生物の勉強がしたい！」と気持ちを奮い立たせました。そして2年後、前期試験で不合格となってしまったものの、後期試験で合格することができたのです！

ワクワクがいっぱいの世界へ

晴れて憧れの大学に入学した私は、そこから大学と大学院の計6年間、まさに「生物漬け」の日々を送りました。大学で学ぶ内容は想像を遥かに超えて広く深く、辞書のような分厚い教科書を抱え、ワクワクしながら色々な授業を受けました。ま

た自分と同じように生物好きで、魅力あふれる先生方、友人との出会いもありました。学年が上がると、いよいよ研究室にも配属されました。私は大学に入ってから興味を持った「植物生理学」という分野が学べる研究室に入りました。植物が生きる仕組みを、小さな分子のレベルで解き明かそうとする分野です。そこで私は主に「ゼニゴケ」と呼ばれるコケ植物を使って、遺伝子組み換え実験などに取り組むことになりました。研究を始めてみるとすぐに、研究室での実験は私がそれまでやってきたものとは比べものにならないほど、難度が高いことに気付かされました。最初は実験器具の扱いすらままならないのです。それでも失敗を繰り返すうちに少しずつ小さな結果が出るようになりました。その結果から、何が言えるのか、次はどう実験したらいいか、考え抜きながら一歩ずつ進めていく。そうした繰り返しのなかで、思うようにはいかない実験の厳しさも、結果が得られた時の喜びも知り、理系の大学に進学しなければ知ることがなかったかもしれない研究の本質的な面白さにも触れることができたように思います。

教育業界に飛び込む

　しばらく夢中で研究生活を送っていた私ですが、次の転機が

訪れたのは、大学に入ってから5年目の、大学院1年生の時です。ある時、同じ学年の友人同士で将来についての話題になり、「大学院出たら、どうする？」と聞かれ、答えられない自分がいたのです。そこで私は恥ずかしながら自分の将来についてあまり真剣に考えてこなかったことに気が付きました。「こんなあやふやな状態で研究を続けていたらだめだ。一度将来のことをちゃんと考えてみよう……」と思い、就職も視野に入れて動いてみることにしたのです。

　世の中にどんな仕事があるのかさえよくわかっていなかった私は、まずはどんな企業があるのかを調べるところからのスタートでした。同時に、先輩からお勧めしてもらった「自己分析」にも取り組み始めました。自分の強みや弱み、大事にしたいと思っていることは何かなど、紙に書き出したりしながら、普段意識していない自分の奥底にある部分を深掘りしていくのです。この「自己分析」によって、私は1つ重要な発見をすることになりました。それは、大学生活のなかで自分がいかに「学ぶということそのもの」を心から楽しんできたのかということです。夢中で生物学に向き合った日々を通じて、「学ぶって試験などのためにあるものじゃないし、苦しいものじゃない。本当は楽しいことなんだ！」と心から思えるようになってい

した。

　そんなことを考えていたら、次にふっと浮かんできたのは「今度は他の誰かが、自分の希望する進路を実現できるように、もっといえばその先で学ぶ楽しさを得られるように、支える仕事をできないか」という思いでした。それならば、と教育業界への就職が選択肢の１つとして挙がるようになりました。その後、続けてきた研究を離れる寂しさもあり、就職か進学かでかなり悩みましたが、最終的には「新たな挑戦をしよう！」と、就職して次のステージへ進むことを決めたのです。

　教育業界に飛び込むことに決めた私は、縁あってベネッセコーポレーションという会社に就職することになりました。入社してから今まで、高校生マーケティング営業部という部署で「進研ゼミ高校講座」という通信教材をお客様に届ける仕事を担当しています。そこでは日々、中学生や高校生、その保護者の方がどんな学習や生活の困りごとをもっているのか、アンケートやヒアリングを通じて調査しています。そうして明らかになった高校生や保護者の方の困りごとに対して、DM（ダイレクトメール）というお手紙や、サイト等を通じてコミュニケーションを取り、「こんなふうに勉強してみませんか？」と、学習法をご提案するのが主な仕事内容です。

🖊 理系のチカラ

　さて、卒業して働き始めたばかりの頃は、新たな仕事を覚えるだけで必死だったのですが、しばらく経つと気が付いてきたことがあります。それは、理系の大学で学んだことやスキルが、実際に仕事をするうえでとても役立ち、自分の中で活きているという事実です。例えばその1つに「論理的な思考力」があります。「物事をきちんと理由をもって、矛盾がないように筋道を立てて考える力」とも言えるかもしれません。この「論理的な思考力」は理系の授業や研究で「得られた結果から何が言えるか、なぜそう言えるのか、根拠をもって説明すること」が常に求められるなかで、鍛えられてくる思考法であると思います。これは、社会に出てからも様々な場面で求められる考え方なのです。例えば私の場合ですが、特に仕事で「企画（どんなDMやサイトを作るかという計画）を立てる」時にとても役立っているなと感じています。

　また他の役立っているスキルの例を挙げると、「マルチタスク」に物事を進める力、言い換えると「複数のことを、同時に効率よく行う力」があります。研究と聞くと、もしかしたら1つのことに熱中して取り組むようなイメージがあるかもしれま

せん。ですが実際は、ある実験をしつつ次に行う実験の準備を
したり、他の結果を分析して発表資料にまとめたりなど、先を
見通しつつ同時に進めることがたくさんあるのです。そのなか
で徐々に「どういう順番で、どう時間を使えば、全てを上手に
進められるか」考えてマルチタスクに動く力が身に付くように
思います。これも、社会に出て仕事をする時に、とても必要な
力です。というのも多くの場合、仕事は複数の業務を並行して
進める必要があるからです。

　こうした知識やスキルは、決して理系でしか身に付かないと
いうわけではないでしょう。しかし卒業した今、理系という環
境は、様々な研究活動などを通じて私たちの能力を引き出し、
鍛えるのに非常に適した場だったのだと強く感じています。

🔍 大切なのは、自分の本当の気持ち

　こうして振り返ってみると、進路選択に悩んでいた時には、
自分が理系の大学で6年間にわたり生物学を学び、その後は
教育業界で仕事をするなどとは思いもしなかったことだなぁと
思います。やはり未来のことはわからないものです。一方で、
確かだと思うこともあります。それは、その時々で自分の本当
の気持ちに正直に向き合い、大切に通過してきた「点」には、

何１つとして無駄なものはなかったということです。「こんなことをしなければよかった」「あれは意味がなかった」なんてことは１つもなく、必ずそこには次につながる学びがあるのです。そうやって通過した「点」同士を結び現れた「線」こそが、私たちが進むべき道を確かに一歩ずつ歩んできたことを、教えてくれるのだと思います。

　皆さんも、進学や職業など、先のことを考えて悩むことがあるかもしれません。そんな時こそ、まずは目の前のこと＝「点」を大切にしてみてほしいなと思います。その時忘れないでほしいのは自分の本当の気持ちです。「誰かが、こう言うから……」などではなく、自分が本当にワクワクすることは何か、これだけは譲れないという思いは何か、心の底にあるその気持ちを、恐れずに尊重してみてほしいなと思います。焦らず一歩ずつ、楽しみながら進んでみてください。その先に、必ず皆さんを最高に輝かせる未来が待っているはずです。

「ワクワクするか」が
選ぶ基準

森 麻紀（ソニー）

理系を好きになった原点

　私は小学校1年生の頃、計算が苦手だと思い込んでいました。算数の授業で先生に丸をつけてもらう時間では、クラスメイト達が解き終わってプリントを持って立ち上がっていく姿に、焦りを感じていました。そんな私を母は、姉が通っていたそろばん教室に連れて行きました。気付くと計算が早くなり、プリントも一番に先生のところに持っていくようになりました。早く解けることが楽しく、算数が「好き」になった瞬間でした。

　2学年上の姉が、太陽の傾きが季節に応じて変わると塾で教わってきた際には、1年をかけて春分、夏至、

秋分、冬至に太陽の軌道を記録する実験も一緒に行い、ワクワクしたのを覚えています。私は、姉が楽しそうに算数を解いたり、理科の実験（学研が発行していた学年誌のふろくなど）をやったり、時には一緒に実験をしたりする中で、算数だけではなく理科全般に興味を持つようになり、結果、理系科目が好きになりました。

「理系科目が好き」から理系の選択

中高一貫校だったので、自分の好きなことに時間を割いて中学時代を過ごしました。中学の3年生からは、数学の楽しさや奥深さを教えてくれる塾に通い始め、公式をただ覚えるのではなく、答えを数式から導くことの楽しさを覚えました。

高校生になり、様々な機会を通して進路について考える時間が少しずつ増えていきました。学校では、数学を多めに学習する数学コースと、英語を多めに学習する英語コースの選択をベースに、高校2年生からのクラス分けがされることになっていました。また、理科・社会に関しても、受験科目を意識してコース選択をする必要がありました。今思えばこの選択が、文系理系の分かれ道でした。両親の意向もあり、私は国公立大学を目指していました。また父親から「できるだけ選択肢は広く

持て」と言われていたので、理系の学部の中でも興味があった看護学部、薬学部（国家資格に興味があった）だけではなく、理学部、理工学部、工学部も視野に入れて、数学コースに進み、理科は物理・化学の選択をしました。

志望学科の選択

　高校2年生の時にソニーのプレイステーション®でRPG（＊1）にハマり、CG（Computer Graphics）で描画された女性の毛髪のきれいさに驚き感動しました。自動車会社で働いていた父から、CGは映画やゲームだけでなく、元々は車の設計やシミュレーションのために生まれた技術だと聞き、興味を持ちました。その後、お茶の水女子大学のオープンキャンパスに参加した際、理学部情報科学科の複数の研究の紹介を受けました。その中には気象やビル風などの自然現象の中にある「流れ」をシミュレーションして解析（コンピュータを用いて方程式を数値的に解く）する研究や、「流れ」の時間や場所による違いをわかりやすくするために、CGを使って可視化している研究もありました。「身の回りの見えない現象を可視化するって面白い！」その時、自分がワクワクしていることに気が付きました。今自分が持っているこの感情を大事にしたいと考え、情報科学科を志望する

ことにしました。

HCI 分野との出会い

　大学3年生の4月、ユーザーとコンピュータとの接点に着目した学問領域である HCI（Human Computer Interaction）という分野に出会いました。簡単に言うとユーザーがコンピュータをより扱いやすく、コンピュータをユーザーにとってより便利な道具とするために、どのような工夫を凝らせるかを研究している分野です。人の認知心理や感覚器の特性なども考慮した上で、ユーザーインタフェース（＊2）の設計がなされているということを知り、いろんな人が使うものをより簡単に使えるようにしたり、情報との接点を直感的でわかりやすくすることができるのではないか。「なんて面白いやりがいのある領域なんだ」と感じました。かつて心理学にも興味があった私は、認知心理学と情報科学が重なり合うこの領域に自然と惹かれました。そ

してその後、私は HCI を専門とされている先生の研究室に配属になり、大学 4 年生と修士の 2 年間をそこで過ごしました。研究室は、生活における課題を機器を用いて解決するようなアプリケーションの提案と実装、そして人と機器との新しいインタラクション(やり取り)についての研究をテーマとしていました。

　私は食事の場をより楽しい場にしたいと考え、食卓でのユーザーのふるまいに応じて変化するプロジェクション映像を用いて、料理の視覚的な楽しみを向上させ、料理を通して家族間の会話促進ができるシステムについて研究しました。大学 4 年生の時に国内の学会と研究会で発表を行い、研究会では賞もいただきました。その後システムに新規アイデアを追加し、修士 1 年生では国際学会で発表をしました。そして NTT インターコミュニケーション・センターで行われた「Girls, Media, Home 女の子の家庭向けユビキタス・インタフェース展」の開催期間中、研究を展示し、トークショーも開催しました。研究と向き合った 3 年間はとても色濃く、それまでの人生の中で一番楽しく充実していた時期でした。あまりにも研究室生活が楽しかったので、就職するより博士課程に行こうかなと考えることもありました。充実した日々が送れたのは、研究室のメン

バー、先生の人柄のおかげも大きいと思います。

＊2　ユーザーと製品やサービスの接点のことで、マウスやキーボードのようなデバイスから、ユーザーが実際に見たり触れたりするデザインや視覚的なもののことを指す。例えばスマートフォンやウェブページのボタンや文字なども含まれる。

ソニー株式会社へ入社

　研究を楽しみながらも、修士1年生の秋頃から就職活動を始めました。自分はどんなことが好きなのか、どういう人間なのかなどをノートに書き出していくうちに、「人をワクワクさせる、笑顔にする技術開発がしたい」という自身の思いに気が付きました。

　ソニーは幼少期から身近な企業でした。学校行事や旅行で思い出を残すために父が撮影していたビデオカメラもソニーのハンディカム® でしたし、CG がきれいで感動したのもソニーのプレイステーションを触っていた時でした。また、通学の電車の中ではいつもソニーのウォークマン® で音楽を聴いていました。ウォークマンを買ってもらうまでは、家のオーディオデッキでしか音楽を聴くことができませんでしたが、音楽をどこへでも持ち運べるという体験に感動しました。そのことを思い

出し、ウォークマンのように生活を変え、使う人を笑顔にするような製品・サービスの技術開発に貢献したいと思い、ソニーを志望しました。

　入社後は、既存の製品・サービスに搭載する機能や、新しい事業への貢献を目指し、技術開発を行うR&D（Research and Development）の部署に配属になりました。入社後から現在に至るまで、会社名や部署名が変わることはありましたが、仕事の分野としては大学時代の専攻と同じヒューマンコンピュータインタラクションにあたり、機器と人とのインタラクションの開発に従事しています。

✐ これまでと現在の仕事内容

　入社してからこれまでの間、製品の画面内のボタンなどの操作部品を開発しやすくするためのソフトウェアライブラリの開発に携わったり、社内の技術を用いた新しいユーザー体験の提案を行ったりしてきました。その中でも一番印象的だった仕事は、スマートフォンカメラアプリケーションのユーザビリティ（使いやすさ）改善に携わっていた際に、R&Dの技術を用いたカメラを使った新しい体験を提案したことです。

　顔認識技術や画像処理技術を用いて、一緒に写っている人同

士の顔を入れ替えたり、顔にお面を被せるようにデコレーションすることができるAR(Augmented Reality：拡張現実)アプリケーションを提案したところ、当時の製品に実際に採用されました。自分の提案が自社製品を通じて、お客様の手に届く仕事ができたことにとても感動しました。また、社内での技術デモ会を通じて、ソニーミュージック所属のアーティスト(大学時代よく曲を聴いていた)に自らこのアプリケーションの紹介をする機会をいただき、直接話すことができたことは、グループ企業のソニーならではの体験でした。

　ここ数年では、人と機器のインタラクションに関わる技術の進化に伴い、新しいインタラクションに必要な技術の開発を進めています。これまでのインタラクションはボタン操作のように、ユーザーからの入力に対し出力を返すというものでした。音声入力やジェスチャー入力などユーザーの自然なふるまいに近い入力方法はありますが、あくまでもボタン操作の代わりにすぎません。しかし今後、AIを搭載した機器が生活空間内に存在するようになると、ユーザーの自然なふるまいを入力として扱い、ユーザーの状況・状態を推論して、ユーザーが期待する出力を自動的に返していくインタラクションへと発展していくことが予想されます。例えば、天気を知りたい時に、スマー

トフォンで天気予報を調べたり、スマートスピーカーに「天気を教えて」と声かけするのではなく、朝起きてカーテンを開けて、天気を確認するように窓の外へ顔をむけるふるまいを検出して、天気だけでなくユーザーの予定や行動を加味してより詳細な情報を教えてくれるようなイメージです。このように機器がユーザーのふるまいや意図を解釈するために、AIやセンシング技術のみならず、人の認知・思考のメカニズムや行動特性なども研究対象にしながら、新しいインタラクションに必要となる技術の開発をしています。また、開発した技術を用いて、ユーザーにとって新しい価値がある体験の提案もしています。

　最近は自分の役割も変わってきました。チームリーダーとしてチームの目標を定め、目標を達成するためにチームを牽引する機会も増えています。立場が変われば仕事の面白さも変わり、刺激のある毎日を送っています。

一歩踏み出すことで見えるものがある

　私が中学生の頃は、インターネットがまだ身近ではなかったので、知りたいことを調べようと思っても、どういう本に書いてあるのかわからず、結局わからずじまいということもありました。しかし、今だったらどうでしょう。検索することで様々

な情報を簡単に得ることができます。また、生成 AI を使えば会話を通してより自分の欲しい情報に簡単にたどり着くことができるかもしれません。疑問を追求していくことで、分野の最先端の論文までたどり着くことだって簡単にできます。ぜひ、気になったことがあれば、調べてみてください。自分の好きなモノや、将来につながる大切なモノに出会うきっかけになるかもしれません。

　今回自分を改めて振り返り、自分が行動した時に新しいモノとの出会いがあり、そして、自分がワクワクするのかどうかを基準に進路を選んできたのだなと感じました。みなさんの選択の基準がワクワクかどうかはわかりませんが、答えが出ない時は参考にしてみてください。また、たくさん悩むことも良いと思います。たくさん悩んで選択してきたからこそ、私は今の自分に満足しています。私の経験が皆さんの役に立つことを願っています。

コケと出会ってからの私

鵜沢美穂子（ミュージアムパーク茨城県自然博物館）

生き物が大好き！

　私は現在、コケを専門とする学芸員として博物館で働いています。どのような道をたどって今にいたったのかを、子どもの頃から遡（さかのぼ）ってお話ししてみたいと思います。

　思い返せば、生き物が何でも好きな子どもでした。そのきっかけのほとんどは、祖母が与えてくれていたように思います。かつて小学校の教師をしていた祖母は、専門は国語であったはずなのに、なぜか身近な野草や昆虫などにも詳しくて、家の庭や、保育園からの帰り道などで出会う生き物たちについて何でも教えてくれました。ヨウシュヤマゴボウ（紫色の実をつけます。有毒なので口に入れると危ないです）で色水を作ったり、巣を作っていたアリジゴク（ウスバカゲロウ類の幼虫）を掘り出して手に乗せて遊んだりした記憶が鮮明に残っています。小学校低学年の頃は、夏休みの度に、理科の自由研究として生き物

コケと出会ってからの私　31

の観察をしました。特に印象に残っているのは、小学2年生の時のオオスカシバ(蛾の一種)の観察です。庭にいた幼虫を見つけ、何の種かも分からないまま観察を続けました。食べた葉の枚数、糞の数を毎日細かく記録し、絵を描き、飼育を続けました。蛹の間は死んでしまったのではないかと不安でいっぱいでしたが、ある日突然羽化して、美しいオオスカシバが羽ばたいている姿を見つけた時の感動は忘れられません。生き物が変化していく、成長していく様子の面白さや神秘性を強く感じました。

　中学生の間は、理科の授業は好きでしたが、少し生き物からは離れた生活を送っていました。放送委員会に入ったことをきっかけに、「アナウンサーになりたい!」という夢ができてしまったのです。高校もアナウンスコンテストで優秀な成績を上げていた学校を選びました。しかし、念願の放送部に入ったものの、高1で出場したコンテストでは見事に予選敗退。練習を繰り返しても、本番は緊張で声が上擦るし、上手い人とは歴然とした差があることに気付き、早々にその道は挫折しました。その後は、放送部で行っていたドキュメンタリーなどの映像制作に夢中になり、全国大会にも出場しました。この体験から、人には向き・不向きがあることを悟りました。なお、成り行き

で始めた映像制作でしたが、この時の経験は博物館の仕事にもかなり生きている（展示用に映像を制作することがある）ので、人生、何でもやってみるものだなと思っています。

✒ ある日、コケに出会った

　その日、私は駅から家までの田舎道を、一人でゆっくり歩いていました。ふと、畑の脇にゼニゴケが大群落を作っているのが目に留まりました。実物を見たのは初めてでした。ゼニゴケは3〜4 cm のヤシの木のような小さな傘を付け、その傘の下に黄色い胞子嚢をたくさんぶら下げています。それを見た瞬間、雷に打たれたように衝撃を受けました。「こんなに変わった生き物、今まで見たことがない！」と。何とも不思議でユニークな形は、他のどの植物にもないものに思われました。ゼニゴケ

は精巧なつくりをしており、小さな体の中にギュッと自然の造形美が詰まっているように感じました。そして、胞子を飛ばす姿に、この子たちは小さいながらに生きていて、子孫を残そうとしているんだ、といじらしささえ覚えました。

以来、コケのことが気になって気になって仕方がなくなり、高校からの行き帰り、道ばたに目をやる頻度が増え、どんどん新しいコケを見つけられるようになりました。そして図書室でコケの図鑑を眺めては、新たなコケに出会いたい、と夢想する日々でした。私にとってコケとの出会いは「アイドルの推しを見つけた」のと同じ感覚で、この時は仕事につながるとは少しも思っていませんでした。

　高校生活も終盤に近付き、進路選択の時期がやってきました。教科としては依然として生物が一番好きでしたし、得意でした。私は、漠然と「生物の研究者になりたい」と思い、大学は生物学科を選択しました。当時は、職業についての教育（キャリア教育）は盛んではなく、生物学で思いつく職業のイメージはそれくらいだったのです。ただ、この時に生物学科に進むことができたのは、私にとって、とてもラッキーなことでした。

　入学すると、山や海でのフィールドワークが待っていました。臨海実験所で行われる実習で珍しい生き物に出会ったり、面白い生態を知ったりする度に、私の心は躍りました。他大学で行われている公開臨海実習にも参加し、全国から集まる生き物好きの仲間と交流を深めたりもしました。高校生対象の臨海実習のアシスタントのアルバイトにも参加し、一緒に生き物を

楽しみました。野山を散策して、高校生に植物を教える際には、自然と好きなコケのことを話していました。

　多くの大学では、3年生の間に研究室を決め、4年生から正式に研究室に所属して卒業研究を始めます。大学2年生になったくらいの頃から、私も卒業研究で何をしよう、どの研究室に入ろう、と悩み始めました。各研究室のテーマを眺めてみても、いまいちピンときません。悩んだあげく、「どうせやるなら、好きなコケをテーマにさせてもらえないだろうか」と思い、その日から研究室訪問を始めました。植物系の研究室を訪れては、「コケの研究をさせてもらえませんか？」と先生に直談判しました。植物生理学や植物細胞学の研究室では、「コケを材料にして研究するのは構わないよ」と言ってもらえました。ただ、フィールドワークや生き物そのものに触れ合うことの楽しさを知ってしまった私は、細胞や遺伝子レベルでコケを扱うことにどうしても物足りなさを感じてしまい、最終的に「植物形態学研究室」を選ぶことにしました。しかし、その研究室の先生の専門は種子植物だったため、「国立科学博物館にコケの専門家がいるから、指導をお願いすると良いですよ」と言われました。ドキドキしながら国立科学博物館の先生にメールを出すと、「いいですよ。一度研究室に来てください」と温かいお返

事をいただきました。このように、とんとん拍子にコケの専門家からの指導が受けられるようになったのですが、完全にボランティアで指導を引き受けてくれた先生には、今でも感謝しかありません。そのようにして、大学でのコケの研究がスタートしました。

🔍 コケの研究が始まった

　大学の先生のご厚意で、私は2年生から研究室の机と顕微鏡(けんび)を使わせてもらうことができるようになりました。私は講義と部活の合間を縫って、大学のキャンパス内のコケを採集しては顕微鏡を覗いて名前を調べる（同定する）勉強を始めました。顕微鏡で見るコケの葉や細胞はそれはそれは美しく、種によって異なるミクロのコケの多様性を知る度に、その世界に引き込まれていきました。

　その後、国立科学博物館の先生に色々とお話を聞き、コケ研究者の若手の会や、各地で行われている観察会を紹介してもらいました。たくさんのコケ研究者の先輩や先生から指導を受け、同年代の仲間も増えました。他の分野と比べると、コケを研究している人は少ないので、このように各地から時々集まって情報交換をしたり、教えあったりすることはとても貴重な時間で

す。こうして私のコケ研究の基礎がつくられていきました。同時に私も大好きなコケのことをもっとたくさんの人に伝えたい、と思うようになりました。そして、この頃には、漠然とした「生物の研究者になりたい」ではなく、「コケとずっと関わる仕事」ができないか、と考え始めるようになっていました。研究をしながら、人にコケの魅力を伝える仕事とは何か、必死で考え続けて、ある日突然、「博物館の学芸員だ！」とひらめきました。慌てて学芸員の資格を取るために授業を受け始め、大学院の時に資格を得ました。

　卒業研究では、大学の研究棟の目の前に大きな群落を作っていた「ヒナノハイゴケ」というコケを観察し、受精から胞子の成熟までを追うことになりました。植物形態学研究室で組織切片のつくり方を学び、約２週間に１回ずつヒナノハイゴケを採集して解剖と観察を続けました。研究に打ち込みたい一心で大学まで徒歩で通えるアパートに引っ越し、昼夜を問わずヒナノハイゴケを観察し続けました。

　卒業研究を始めると、もっとコケの研究を続けたくなりました。国立科学博物館の先生から、連携している大学の大学院に入れば、正式に博物館で指導を受けることができると勧められ、私にとってはレベルの高い大学院でしたが、一念発起して試験

勉強を開始しました。そして、なんとかギリギリで試験を突破することができました。学芸員になりたかった私にとっては、博物館での研究生活は大きなメリットになりました。標本の取り扱いや、海外の研究者との標本の貸し借りなど、今の仕事に欠かせない大切なことの数々を学びました。しかし大学院での研究やセミナー発表で要求されるレベルは高く、私には、とても厳しいものでした。卒業研究で面白い結果が出たので、大学院では、受精後の形態変化を様々なコケで比較するという研究を続けていました。しかし、研究の方向性が見えなくなったり、思うように結果が出なくなったりして、「研究は向いていないのではないか」と思い悩む日も増えました。この時、必死で泣きながら頑張ったことで、私は間違いなく精神的に鍛えられましたが、他方で悲しい気分になり、家に引きこもって研究室に行けない日もありました。また、調べれば調べるほど、学芸員の仕事は募集が少なく、狭き門であると分かってきたことも、さらに鬱々とした気分に拍車をかけました。

　それまで何も言わずに私の好きなように進路を選ばせてくれていた両親から、この頃、一度だけ就職に対しての不安を伝えられたことがありました。なれるかどうか分からない職を目指して、長引く大学院生活を送る私を心配したのでしょう。「も

う少し頑張りたい」と伝えると、その後はまた何も言わずに見守ってくれました。また、厳しくも優しい先輩や先生方に恵まれ、よく飲みに連れて行ってもらったりして、気分は低空飛行ながら、なんとか大学院生活を続けることができました。

🔍 「やりたいと思ったことを口に出して言う」

　その間に、いくつかの博物館関係の就職試験を受けました。学芸員は募集が少ないので、博物館関係の展示を作る会社や映像制作の会社にも応募しました。しかし面接でやりたいことを話すと「希望することばかりができるわけではないよ」「なりたいのは学芸員だよね」と言われ、すべて落ちてしまいました。やはり学芸員を目指して頑張るしかない、と気持ちを新たにしました。

　大学院に入ってから４年が経った頃、茨城県の県立の博物館であるミュージアムパーク茨城県自然博物館で、非維管束植物（維管束をもつシダ・種子植物以外のコケ・藻類などを含むグループ）の学芸員の公募が出ました。専門もぴったり合う上に、茨城県のつくば市に住んでいた私には、好条件の公募でした。背水の陣で試験と面接に臨み、高い競争倍率を乗り越え、合格することができました。現在、博物館では、コケを中心に

調査研究を行いながら、観察会や展示を通してコケの魅力を老若男女に伝えるという、本当に希望していた仕事を行うことができ、充実した日々を送っています。

　勤務も15年近くになり、その間に2回、コケをテーマにした企画展を行うことができ、それぞれ10万人を超える来館者の方に展示を見てもらえたのも、大きな喜びでした。最近では、小学生から大学生まで、幅広い年齢の子どもたちが、コケを勉強したいと言って訪ねてきてくれるようにもなりました。

　少し回り道をしたり、不安になったりすることもありましたが、自分は何が好きなのか、何が向いているのかを考えて、気持ちに素直に従って、この道にたどり着きました。運にも恵まれましたし、たくさんの人に支えられて、今の私があります。1つ、私の長所を挙げるとすれば、「やりたいと思ったことを口に出して言う」ことなのかもしれません。そうすることで、家族や友達や先輩や先生が、どうしたら良いかアドバイスをくれたり、一緒に考えたりしてくれました。皆さんもぜひ、好きなことややりたいことを、周りの友達や大人に話してみてください。それが、未来への第一歩になるかもしれません。

「好き」を
いろんな角度から見る

勢古口 遥（乃村工藝社）

📌 文系っぽい子どもだった

　幼少期の私は、読書やお絵描きが大好きで、どちらかと言えば、いわゆる文系っぽい子どもだったと思います。両親ともに映画や絵画などの芸術鑑賞が趣味で、小さな頃から美術館に連れて行ってもらったり、お絵描き教室に通っていたりしたので、そういった物事に興味を持つのは自然なことでした。

　自分の将来についても、絵を描いたり、モノをつくったりする仕事がしたいという想いが強く、小学6年生の時の作文には、「将来の夢はファッションデザイナー」と書いていました。その当時は「デザイナー」という単語を知ったばかりだったので、詳しくは分からないけど、なんとなくカタカナのおしゃれな職業！という認識です。そして自分が可愛い！やカッコイイ！と思うファッションを絵に描くことが好きだったので、それがそのまま仕事になればいいな〜と思っていました。なので

小学生くらいまでは自分が理系の大学・大学院へ進学するとは思ってもみませんでした。しかしながら実際は、その道を進み、現在は空間デザイン系の会社に勤めています。「なぜアートやデザインといった分野に興味を持ちながら理系進学を選択したの？」だとか、「理系で学んだことが、仕事にどうつながっているの？」とかと、不思議に思う人もいると思います。しかし、改めて振り返ってみると、理系進学をして得られたことが、ちゃんと今の自分の仕事につながっているなと感じます。まだ進路のイメージが浮かんでいない方、迷われている方に、私の経験が少しでも役に立てばいいなと思っています。

「かもしれない」から「ピッタリ」の 進路を見つけるまで

　入学した地元の中高一貫校は、4年制の大学に進学する生徒が多く、自分も同じように大学へ進学するだろうと思っていました。小学生の時の「ファッションデザイナーになりたい」という夢は徐々に薄れていましたが、絵を描くことは相変わらず好きだったので、進路を考える時には、デザインやアートに関する勉強がしたいと思うようになっていました。

　それらについて学ぶには美術大学や芸術大学に入った方が良

いだろうと思い、高校生になった頃、進路相談で担任の先生に「美大・芸大に行きたいかもしれない」と相談しました（ここで、「かもしれない」と曖昧な言い方をしたのは、自分でもまだ考えが固まっていなかったからです）。

　先生は真っ先に、「美大・芸大受験をする時は、美術系の予備校などに通って、実技試験用の専門の対策をするのが一般的だ」と教えてくれました。実際にはそういった実技のテストが無い入試方法もあったのですが、その時は何も調べていない状態だったので、驚いたことを覚えています。先生は続けて、「美大・芸大に行ったとして、将来は芸術家になりたいの？」と聞いてきました。私は、「確かに、絵を描くのは好きだけど、そこまで上手なわけではないし、芸術家になりたいわけではないなぁ」と思いました（それは大人になっても変わっていませ

ん）。さらに先生からは「美大・芸大に進んでもいいけれど、将来就職するとなった時の先の選択肢が狭まるかもしれない」、「もう少し将来について幅広く考えてみて」、といったアドバイスをもらいました。

　私が芸術系の分野に興味があることは先生もよく理解してくれていましたが、その先にどんな仕事がしたいか、といった具体的なイメージまではできていないことを心配してくれていたのだと思います。

　しばらくして私は、無理をして入試対策ができていない芸大や美大を受験する必要はないかもしれない、と思いました。今になって思うと、自分が好きなことと、向いていること（できること）との違いになんとなく気付いたのかもしれません。それから、私は、他の選択肢について考え始めましたが、やっぱり将来自分が就きたい仕事のイメージもしづらく、なかなか決め切れずにいました。高2になると大学受験用に授業の文理選択がありましたが、その時点でも迷っていた私は、「とりあえず理系科目を選択しておけば、あとで文系受験をしたくなった時でも対応しやすいよ」という周囲のアドバイスを受け理系の授業を選択しました。

　そのように私は、進路についてずっとぼんやりとした感じで

したが、高2の夏頃には、具体的に志望校と学部・学科を決めていかなければならなくなり、受験情報が載った案内書を読み始めました。それには、色々な大学の学部と学科の名前が並んでいました。理系で受験ができるところを重点的に見ていたら、あることに気付きました。「デザイン」と名前の付く学部・学科があったのです。「デザイン工学」や「プロダクトデザイン」、「システムデザイン」、「都市デザイン」、「建築デザイン」など、どうやら工学系の学部に多い印象でした。それを見て私は、「工学部もいいかも……」と思い始めました。そして、工学系でデザインが学べれば、先生の言うように将来の選択肢を狭める可能性もなく、私の好きな分野も学べる、ピッタリの進学先だと感じたのです。

　特に「建築デザイン」という言葉に興味が湧いた私は、建築について学べる学科を探し、お茶の水女子大学の生活科学部人間・環境科学科(2024年4月から、共創工学部人間環境工学科)を受験することに決めました。学科名に「建築」や「デザイン」という言葉は入っていませんが、建築士の受験資格が得られることや、建築を含む環境について幅広く学べる点に魅力を感じたからです。

🔍 デザインとは何かを考える日々──大学・大学院時代

　大学では、学科名の通り人と人の生活を取り巻く環境について、様々な授業がありました。特に学びたかった建築系の授業は2年生頃から本格的に始まり、建築物のスケッチをしたり、図面の描き方を教わったりしました。印象的だったのは、いかにも「建築」らしい設計系の授業に加えて、構造や材料、設備、環境、構法などとても幅広い分野の授業があったことです。なかには、建築に関する歴史のことや法律のこと、人の暮らし方のこと、といった、いわゆる「文系」じゃないの？と思うような授業も多くありました。

　3年生になると、私は建築計画と呼ばれる分野の研究室へ所属し、「誰もが使いやすかったり、居心地がよいと感じたりする空間のあり方を考え、つくっていく」ための研究を始めました。その中で私は大学・大学院ともに歩行弱者（車いすの方や、ベビーカー利用者など、歩行の制限を受けやすい人たち）の状況についての研究をしていて、実際に自分が車いすに乗ったり、ベビーカーを押したりしながら街中を移動する実験を行いました。その様子を撮影して、動画を1秒ごとに切り出し、パラパラ漫画のようにして分析していくのです。何度も繰り返し実

験を行うのですが、人ごみの中を車いすやベビーカーで移動するのは本当に疲れるし、危険なことも多かったです。もともとオシャレなイメージの「デザイン」を学びたかったはずなのに、なぜ今こんな大変なことをしているんだろう？と思うこともありました。

　しかし、そうした経験を経て、私がずっと憧れていた「デザイン」とはただオシャレで、カッコイイものをつくることではなくて、「課題を見つけてそれを解決する方法を考える」ことも含めて、「デザイン」をすることなんだと気が付きました。私が学んだ生活科学部（大学院では「生活工学共同専攻」）では、「生活者の視点で、生活を取り巻く様々な課題や問題に取り組み、解決を目指すこと」を目的としていました。そうして、就職活動を始める頃には、居心地のいい空間をつくることで、利用者の生活や暮らしをもっと豊かにできる仕事がしたい想いが強くなり、空間デザイン系の会社を志望するようになりました。いくつか就職試験を受けて合格したのが、今の勤め先である「株式会社　乃村工藝社」です。

利用者の生活や暮らしが豊かになることを考えて

　乃村工藝社は、ディスプレイ業とも呼ばれる空間デザインを

主な事業とする会社です。しかし、実際の業務範囲は多岐にわたり、商業施設や博物館、美術館などの文化施設、ホテルやテーマパークなどのレジャー施設、オフィスや企業のイベント展示など、様々な空間の企画デザイン、設計・施工、時には運営までを行っています。

　私は今、「プランナー」という職種に就いて空間のコンセプトや、その場で提供されるサービスやコンテンツなどの企画をする仕事をしています。「デザイナーじゃないの？」と思う方もいるかもしれませんが、この仕事もまた、「利用者がその場所で何を体験するか？」という、目には見えない空間の役割をデザインする仕事だと思っています。もちろん私の立てた企画を図面に落とし込んで設計していくデザイナーという立場の人もいます。

　日々の業務では、つねに利用者の目線に立った企画をつくりたいと思っています。それが「良いデザイン」につながると考えているからです。

「好き」をいろんな角度から見る

　学生時代を振り返ってみると、進路に悩みながらも、自分が「好き」だと思ったことに少しでも関われるような道を選択し

てきたなと思います。もし、読者の方で進路に迷っている人がいれば、自分が少しでも「好き」だと感じることをまず探してみてください。そして自分が好きだと感じたモノ・コトをいろんな角度から眺めてみることで、自分の可能性をどんどん広げていってみてくださいね。

生きものの生命にかかわる仕事がしたい！

戸井智子（帝人ファーマ）

✏ のほほんとしていた中高時代

中学時代の私は、学校生活と部活動に明け暮れていて、正直なところ、自分の将来のことなんてちっともイメージできていませんでした。中高一貫校で高校受験もなく、普段は定期テスト向けの勉強だけを、のほほんとしていました。そんな調子だったので、理系に進むことを決めたのも高校生になってから、必要に迫られてでした。

高校3年時に理系クラス／文系クラスに分かれる選択授業があり、「自分はどちらかというと理系かなぁ」と考えて決めました。そもそも理系を選んだ理由は、単純に化学という科目が得意だったからです。ただそれだけ、といったらあきれられてしまうでしょうか。進路にも関わってくることでしたが、私の中で「得意」は選択の際のアドバンテージになっていたと思います。化学が得意になった理由は、家に先生がいたからです。

私の父も理系の人で、食品会社の研究所に勤めていました。化学は家で父が先生になって教えてくれるので、気付いたら得意科目になっていました。また、私は父が大学時代や会社の研究室でのエピソードを面白おかしく話してくれるのも大好きで、自然と興味を持つようになっていったのでしょう。

苦手はダントツ数学！

　ちなみに苦手な科目はダントツで数学でした。微分・積分を習うあたりから、チンプンカンプンになりました。理系に進むには数学の勉強は不可欠ですから「大学受験は手ごわいぞ」と身構えました。でも志望校を探していく中で、第1志望の大学には「専攻したい科目(私の場合は化学)の配点は2倍、数学の配点は1/2」という採点ルールがあることを知りました。自分の得意科目を頑張れば、苦手な数学が足を引っ張ることはないと分かり、少しリラックスした気持ちになりました。皆さんの中にも、数学が苦手だから理系に向いていないとあきらめている人がいるかもしれませんが、「理系＝数学ができる人」ではありません。入試方法や配点を詳しく調べる、数学の勉強を頑張る、他の科目で点を取る等、方法はきっとあるはずです。

　私は、中学・高校とオーケストラ部に所属していました。幼

稚園の頃からバイオリンを習っていたので1人でも弾くことはできましたが、オーケストラでの演奏は1人で弾いていた時の何倍もの感動がありました。こんなにも心に響き、そしてこんなにも楽しいのだと知りました。この経験から、私は「1人だけでできることには限界がある」「1人でつくるより、皆の力を集めてつくり上げるほうが尊い！」と思うようになりました。

🔍 理系＝実験？

　理系の学問は、「人類の営み」を超えて、まだ解明されていない科学現象を明らかにしたり、新しいモノを生み出したりするものです。まだ誰も知らないこと、できるかどうか分からないことを自分の手で初めて明らかにするのは、とてもワクワクします。その醍醐味を、私は実際に理系に進んでみてから、初めて実感しました。

　皆さんは、理系の大学や大学の研究室と聞いたら、まず「実験」という言葉が思い浮かぶのではないでしょうか？ まさしくその通りで、私も大学時代は、白衣を着て実験室で最新の分析機器や顕微鏡やフラスコたちに囲まれて、朝から晩まで実験をしていました。大学での実験は本格的です。専門機器も揃っ

ていれば、研究の蓄積もあり、専門的なことを相談できるメンバーもいます。「好きなだけ研究ができる」「専門性を深められる」ところが、個人的には、理系に進学してよかったと思うポイントです。

研究と仕事

　大学・大学院では、「理学部化学科」という専攻で、有機化合物の合成法の開発（欲しい有機化合物をどうやってつくるかという研究）を行ってきました。ところで皆さんは、1950年代の終わり頃に起こったサリドマイド事件をご存じでしょうか？

　化学の世界にも右手と左手のような関係があって、同じに見える2つのモノでも、決して同一のものではない。そういう場

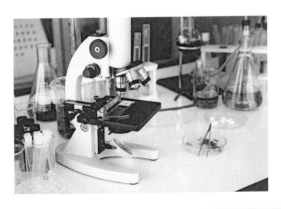

合があります。サリドマイド事件は、一見同じに見える右手型（薬として欲しい効果が得られるモノ）と左手型（重大な副作用を引き起こすモノ）の作用の違いに気付かずに起こってしまった薬害事件です。人類が化学の恩恵を受けるためには、作用の違いがあり得ることをしっかり認識して、例えば右手型だけを作り分けようとトライすることはとても重要です。私は大学・大学院を通して、片方の型だけで100%になるように、どうやったら作り分けられるかという研究をしてきました。その過程で漠然とですが「何かしら生きものの生命に関わる仕事がしたい」と思うようになりました。そこで医薬品・ライフサイエンスの会社に絞って就職活動を進め、今の会社に就職することになりました。

🔍 私の仕事

　医薬品の会社といっても具体的に想像するのは難しいかと思います。薬が市販されるまでには、大まかに次のステップがあります。

第1段階（基礎研究）　医薬品の種からターゲットを絞る。

第2段階（非臨床・臨床開発）　薬のかたち（剤型）を決める。非臨床試験・臨床試験で、薬の有効性（効き目）・安全性（副作

用)を見極める。

第3段階(製品化)　製造をスケールアップし、製造方法・品質試験を決める。

第4段階(承認取得)　それまでの研究結果をまとめ、国に申請して、審査してもらい、製造販売の承認を得る。

　だいぶ大まかに書きましたので、興味のある方、もっと詳しいことが知りたい方は図書館などでぜひ調べてみてください。さて、私の最初の仕事は、東京の研究所で薬の候補の評価にあたることでした。第1段階の「基礎研究」にあたります。候補となる物質がどのくらい溶けるか、生体内でどのくらい吸収されるかなどを明らかにしていきます。これらを研究することで、たくさんある「医薬品の種」の中から、性能の良いものを見極めて、薬として開発するターゲットを絞り込んでいきます。

　第2段階では、このターゲットを錠剤にするか、はたまた注射剤にするか、「薬のかたち」を決めていきます。この仕事の過程で私は、痛風の薬の開発に出会いました。痛風は、ある日とつぜん発作が起こり、腫れと激痛を伴うのが特徴の病気です。世界でも40年ぶりとなる痛風の新薬をつくるプロジェクトでした。私は、日本での製品化を担当することになりました。薬を製品として世に出すためには、国に申請したとおりの厳し

い製造プロセスや品質コントロールが必要になってきます。例えば日々のお料理のように「塩を入れすぎて味が濃くなった」とか「もう少し薄味にしよう」というさじ加減は、この世界では通用しません。また、大量生産ができることも重要です。国内外の患者様にいき渡る量を生産するためです。

　しばらくは基礎研究が中心の仕事でしたが、第3段階以降は工場設備のある山口県に転勤し、プロジェクトチームの一人として、少量スケールで実験していた研究所の技術を工場に移管して大量生産を実現したり、研究成果を国に申請する資料を作成したりしました。その間も東京と山口を何度も往復し、チームの力を集結し、晴れて新薬の発売にこぎつけることができました。現在、この薬は日本・米国・欧州をはじめ世界数十カ国で販売され、世界中の患者様の治療に使われています。

🖉 譲れないものは何か

　薬の開発は、製品になるまで通常9〜17年もかかるといわれています。先ほどの新薬のように、患者様のお役に立てる機会はそう多くはありません。そのため仕事のモチベーションを保つのが大変な時があります。大学での実験や研究もそうでした。トライ＆エラーを繰り返すのですが、うまくいった結果し

か論文発表できず、エラーの部分は日の目を見ることがありません。でもたとえエラーであっても、それを証明してみせるのは意味のあることです。私がやらなければ、何も分からないままだった。そうやって自分を励ましては「よし、次行こう、次！」と思う癖がつきました。その分、いい結果がでた時や、製品になった時の達成感は格別です。失敗の経験も目標達成のために譲れない要素かもしれません。

　私はプロジェクトが進むのに伴って東京から山口に転勤をしていますが、入社当時は「転勤」なるものを会社から言い渡されるのが怖くてびくびくしていました。生まれてこのかたずっと転校もせずに育ったのに、仕事のために見ず知らずの土地に何年も出向くなんて、辛く苦しい修行のように感じられたからです。けれどプロジェクトに深く関わっていくにつれて、不思議と何の壁とも思わなくなっていました。目標や譲れないものができると、大きく立ちはだかっていた壁さえも、スッと越えられたりするものなのです。転勤のおかげで私には期せずして第2の故郷ができました。

「やりたいこと」がちょこんと見えてくる

　私の理系人生は、自分のなりたい職業や姿を目指してストイ

ックに道を切り開いてきた、というものではありませんでした。目の前にある道の中から、自分が進みたい道を選んで素直に誠実に歩いてきた、という感じです。それでも「やりたいこと」がちょこんと頭を出して自ずと見えてきました。

　見つけるのは早ければ早い方がいいのかもしれませんが、それは人それぞれのタイミングでいいのだと思います。人に語れる壮大（そうだい）な夢がなくたって、人生は充実しています。

　私はこれまで一貫（いっかん）して薬の開発に携わり、基礎研究・製品化・海外展開といった仕事をしてきました。その中で理系の学びがどのように役立っているかを振り返ると、化学の基礎的な知識が役立っているのはもちろんですが、研究テーマや専門性がそっくりそのまま活きているわけではありません。でも、大学時代に実験や研究を行う中で培（つちか）った「壁に当たった時にどのように対処するか」「どのように筋道を立てて仮説を検証していくか」といった「考え方」は、どんな仕事をする時にも役立っています。失敗した時には、何がダメだったかを考察して次に活かす思考回路は、日常生活の中でも大いに活きています。

　ですから、10代の皆さんには、勉強でも部活でも、役に立たないと思えることでも、いま興味のあることに一生懸命、真剣に取り組んで欲しいと思います。成功も失敗も、いろいろな

経験を積んで欲しいと思います。将来何になりたいか見えなくても、「少しだけ興味あるかも」「ほかのことよりほんの少し得意かも」と思える道を、ちょっとした気付きや出会いを楽しみながら進んでみてはいかがでしょうか。目の前にあるテーマに思いを持って一生懸命取り組んだその先には、きっと充実した明るい未来が待っています。

　そんな皆さんと将来、一緒に仕事をするチャンスに恵まれたり、一緒に社会を作っていけたりしたら嬉しいです。心より応援しています！

教員か理系職か……
悩んだ先に得たもの

樋田朋子（ニチバン）

🖋 数学好きの父から教わったこと

　理系の人間というのは、地味にデータを蓄積してコツコツと成果を積み重ねる人が多いですが、私はそういうタイプではありませんでした。幼少期から机に座っているのはあまり好きではなく、それでも学校の宿題だけはなんとかやっている、そんな子どもでした。

　当時、私の住んでいた地域は中学受験のために塾へ通っている子も多くいました。塾に通う友達から学校では習わない「つるかめ算」の話などを聞き、分からなくて少し悲しかった記憶があります。ただ、父が数学好きで、「つるかめ算が分からない」などとぼやいていると、かわりに「連立方程式」のやり方を当時の私に分かるように教えてくれました。また、2進数の概念を簡単に教えてくれて「片手で31まで数えられるね」なんてやり取りをしたり、麻雀やトランプのポーカーなどをしな

がら確率計算の話をしたりしたのを覚えています。理系科目に親しみを覚えたのは父の影響が大きいです。

　中学や高校では、実験にまつわる思い出が多くあります。中学校は普通の公立校でしたが、理科の先生がたくさん実験をやらせてくれました。特に、金属と塩酸から水素ガスを発生させる実験が印象的でした。いくつかの工程を経て、さいごには「バンッ」とものすごい音がして、段ボールが１ｍ以上飛び上がったのですが、その光景は今でも忘れられません。公立高校に進学した後も実験の授業が多く、特にアニリンを合成した回が印象的でした。アニリン塩酸塩に強塩基の水酸化ナトリウム

などを加えて、弱塩基のアニリンを遊離させたのだと思うのですが、実験前は無色の液体だったのに、化学反応により黄色の球体(アニリン)が浮かぶ様子がとても綺麗でした。

　こうした経験が、今現在、化学メーカーに勤めている原点かもしれません。

🔍 将来を考え始める

　大学進学を前に将来何をしたいかを考えた際、学校の先生になりたいという思いが漠然と湧きました。そもそも高校まで「学校」以外の世界をほとんど知らず、習い事の先生も含めて（親を除くと）「先生」という立場の大人としか深く関わっていなかったので、それ以外の職業のイメージを持つことができなかったのです。次に、どの科目の先生になろうかを考えました。得意科目は理科や数学でしたが、小学校〜高校生活を振り返った時、純粋に一番楽しかった授業は家庭科だったことを思い出しました。授業の中で、理系や文系といった隔てもなく、身の回りの様々な課題を多角的に捉えて向き合える科目でした。また、誰もが生活する上で欠かすことのできない知識や技術を学ぶ科目でもありました。

　そうして私は、家庭科の教員免許を取得できる大学を探し始めました。家庭科の教員免許が取れる大学というのは限られていて、例えば数学科の免許でしたらどこの大学でも数学科に進学すればよいですが、家庭科ですと女子大学もしくは教育学部のある大学に進学する必要がありました。教育学部のオープンキャンパスにも行きましたが、絶対に先生になるという強い信

念もなく教育学部に進学するのは、当時の私には抵抗がありました。

　調べていくうちに、家庭科の教員免許が取得できる、家政学部や生活科学部の研究領域というのは他の学部と比べて、学問の領域が広いことが分かり、それが私には非常に魅力的に見えました。大学というのは専門分野を深く学ぶ場所だと思っていたからです。先生方も、様々なバックグラウンドをもつ方々が集まっていて、お茶の水女子大学(以下、お茶大)の生活科学部で言えば、医学から食物学、建築学、工学、数学(統計学)等々、1つの学部にいながら本当に様々な先生の講義を受けることができました。もちろん大学は、自分の所属する学部に限らず、他の学部の講義に潜り込んで聴講することが可能ですが、自分の学部の単位を取りながら他の学部の講義を聴講するのはなかなか大変です。1つの学部の中で幅広く学べたメリットは大きく、卒業後の今になってもそれは感じています。

　お茶大の生活科学部は、私が受験をした当時は食物栄養学科、人間・環境科学科、人間生活学科の3つの学科から構成されていました。前者2つは理系、人間生活学科のみ文系という扱いでした。「家庭科の先生になる」目的からすると、食物栄養学科もしくは人間生活学科に進学するのが適切に思えました

が、自分の適性ややりたいことを考えると人間・環境科学科ではないかと悩みました。あまりに悩んだので、大学に連絡をして職員の方に相談に乗っていただきました。教育免許の取得のための講義と、学科として履修すべき講義が重なっている方が楽ですが、人間・環境科学科が最も重なっておらず少し大変だという説明だったかと思います。ただ、前述の通り、私は理数科目が好きで得意でしたので、一番工学的な分野を学べる人間・環境科学科を選び、同時に家庭科の免許も取ることにしました。

　職員の方が、高校生の悩みに真剣に向き合ってくださったことで目標もはっきりし、同時に大学生活を具体的にイメージできて受験勉強にも身が入りました。ここで、文系方面の学科を選んでいたら、また違った将来になっていたでしょう。受験や就職などは、実力だけではなく最終的な合否は運の要素も大きいですが、どこを受験するかという選択は自身で行います。大学名などで闇雲な選択をするのではなく何かしらの目的がはっきりしていると、後悔の少ない結果になると思います。

🖊 大学生活スタート！そして……

　入学後は、学科のカリキュラムに沿った講義と並行して、教

員免許取得に必要な講義も受けました。私が入学した当時は、教員免許は更新制で、基本的に 10 年間で期限が切れてしまうので、むやみに教職課程を履修しないようにという説明があったように思います。教職課程は、児童の発達心理についてなども広く学びます。将来的にどんな道に進むにしても、学んでおいて損はないと個人的には感じています。

　学科としての講義では、入学前に調べた通り、本当に様々な講義を受けることができました。有機化学、数学物理、統計学といったいわゆる理工系の講義から、人体解剖学や、水質環境についての講義、その他多くの興味関心のある講義があり非常に楽しい時間でした。

　大学 3 年生時には 4 年生で所属する研究室を選び、就職活動もしました。卒業後のことをしっかり考えるようになったのも、その時期です。それまで漠然と中高生の時に先生になりたいと思っていましたが、大学 OG の話を聞く中で、メーカー理系職として働くのも面白そうと次第に考えるようになりました。研究室は有機材料系の研究室を希望して、そして理系職に拘って就職活動をしました。しかし就職活動は想像以上に厳しく、理系職で就職するには、理工学系の大学を出ていること、さらには修士以上の学位があった方が優位であることが見えてきま

した。そのためいったん就職はあきらめ、思い切って大学院へ進学することにしました。心のどこかで学校の先生になるという思いも捨てきれず、恥ずかしい話ですが、将来を決めるタイミングをただただ引き延ばしたいという思いもありました。

　大学院の修士1年目の時に、ご縁あって公立中学校で家庭科の非常勤講師として働かせていただきました。教育実習の経験はあるものの、実戦経験はなく毎日が試行錯誤の連続でした。教室から出て行ってしまう生徒がいたり、日本語が分からない生徒がいたり、苦労の連続でしたが、調理実習や被服実習で一生懸命に作品を作る生徒達を見て、非常にやりがいのある仕事であると思いました。しかし、今後、自分の家庭を持ち子どもも育てるということも想定すると、仕事と家庭を両立できるイメージを持つことができませんでした。大学3年時と同様に、理系技術職を希望して就職活動を行いました。もちろん教員と子育てを両立されている方はたくさんいて（そうでなければ日本の教育現場は崩壊しているでしょう）、私自身の折り合いがつかなかっただけだと受け取ってください。

　学校の先生になりたいという私の思いを汲んで、非常勤講師先を紹介してくださった中学時代の恩師や、講師先の先生、生徒には申し訳ないという思いもありました。将来の道を決める

にあたって、これもまた先延ばしにしているようですが、教員から一般企業、メーカーの理系職へ転職した例を聞いたことがなく、大学のOGなどで一般企業から教員へ転職している方の話は何度か聞いたことがあったので、将来的な選択肢が増えるように民間企業を選びました。回り道をしましたが、自分の歩く道を決めるための大切な時間でした。

就職して

　就職活動の結果、現在勤めている会社に工場の理系職として採用されました。学生時代に、工場の理系職になるイメージは全く湧きませんでしたが、いざ入社して働き始めてみると、工場の仕事というのは毎日忙しいものの、とてもやりがいのある仕事でした。

　工場で大量生産されているものは、全く同じに見えても1つ1つに小さなバラツキが生じます。これらをいかに小さく、安定して作ることができるかという「品質安定化」に取り組んでいます。また、既存の製品を新しい技術でより良い品質で早く・安く作る取り組みをしたり、ちょっとした仕様の変更により新製品を開発したりすることもあります。

　企業の中でも研究開発というのは、短期的に結果が出にくい

ですが、工場の理系職が行う業務はスピーディーで結果が出やすいことが多いです。その代わり、非常に業務内容が細かく幅も広く、マルチタスクをこなしていく日々ですが、私の性格的にも合っていて毎日を楽しく過ごすことができています。

　今の仕事を踏まえて、学生時代の過ごし方で後悔があるとすれば、英語と統計学の学びが足りなかったことが挙げられます。自身で英語が流暢に使えればよかったと何度思ったことでしょう。また製品品質のバラツキを小さくする時には、まさに統計的な知識が大事です。社会人になってから学び直しましたが、大学の時にもう少し真剣に学べばよかったと反省しています。

　逆に、回り道にも思えた教職課程での学びや講師として働いた経験は、無駄ではなかったと感じることもあります。人材育成は企業でもとても大切な要素だからです。新入社員の頃はあまり考えることはありませんでしたが、入社して間も無く10年という立場になり、後輩も多くなると、ときに指導する場面もあり、そうした時に教育の重み、大切さを感じるようになってきました。教職課程で学んだことや、講師から得た経験を直接活かすことは難しいですが、次世代につなげる・その場限りでの対応はしないということを常に意識をするようにしています。

理系の道

　子どもの頃にいわゆる「理系」の仕事で想像していたのは……警察の科捜研、大学の先生、ノーベル賞を取るような人達、そんなイメージでした。大人になった今は、教科書に載ったりテレビに登場したりするような人でなくても、「理系」の視点が必要な職業が沢山あると実感しています。数字を正しく読み取る、計算をする、数式を応用する、どんな小さなことでも役に立つ場面があるはずです。得意か不得意かは一度置いておいて、少しでも好きな気持ちがあるのであれば、理系の道を選んでみてください。

　私自身、これまでも悩んだ局面も多く、子育てをしながらまだまだ将来について悩むことも多いですが、それでも理系を選んで少し選択肢が広がったと思うことが多いです。私の仕事は世間から見ればとても小さなものですが、毎日とてもワクワクした気持ちで仕事をしていますし、日々、新しい発見があります。

　最後になりますが、理系の仕事って楽しい、そんなワクワクした気持ちが私の経験を通して少しでも伝われば幸いです。

「好き」、「得意」を自分のコンパスに

小林千洋（桜蔭中学校・高等学校）

　皆さん、こんにちは。中高一貫校で、数学教師をしている小林千洋といいます。私もかつては皆さんと同じ、中学生でした。そこから 20 年近くたち、見た目上は立派な社会人として、現在を過ごしています（実際のところはさておき）。

　社会人の先輩からのお話、と聞くと、どんな立派な経歴で、自分とはかけ離れた存在だろう、と身構えてしまう人もいるかもしれませんが、どんな大人も振り返ってみれば、ただの中学生だったはずです。ここでは立派な先輩としてではなく、周りの大人からはなかなか聞けないような、リアルな経験談をお話ししたいと思います。

🖊 将来の夢

　さて、私は、父、母、兄、そして私の 4 人家族で育ちました。小学生の時の将来の夢はピアニスト、翻訳家、アナウンサー。

理由は単純で、ピアノを弾くのが好き、習い事の英会話が楽しい、人前で話すのが得意だからでした。系統もバラバラで、いかにも子どもらしい現実離れした夢のように思いますが、「好き」、「楽しい」、「得意」がきっかけとなっている点では、数学教師を選んだ理由と通ずるものがあります。どんな道に進むとしても、その原動力になる自分の思いは変わらないのだと、改めて実感します。

　小学5年生の時、学習塾に通い始めました。こういう話をすると「学校の先生になるには、小さいうちから勉強を頑張らなくてはいけないんだ」と思われるかもしれませんが、当時の私には、塾という場所が「勉強をするところ」だという認識は全（まった）くなく、「友達を作るところ」だと思っていたので、軽い気持ちで「塾に行きたい！」と両親に頼んだのでした。狙（ねら）い通り、塾では沢山（たくさん）の友達に恵まれたのですが、予想外にも塾での授業やテキストがとても面白いということに気が付きました。

　当時、一番好きだった科目は国語。自分ではなかなか手に取ることのない本にも、問題文を通して触れることができ、また、筆者が何を伝えたいのか汲（く）みとって、論理的に言葉でまとめる、という作業は難しいながらも面白さを感じました。その一方で、実は算数があまり得意ではありませんでした。私は空間把握（は あく）が

とても苦手で、立体の断面図を考える問題にすごく苦労したことを覚えています。

🖋 勉強するもしないも自分次第

その後、受験を経て、中高一貫の女子校に進学しました。中高一貫校では、基本的に高校受験をする必要がありません。受験にとらわれず、自分のやりたいことや、熱中したいことに十分な時間を費やすことができますが、一方で高校受験がないため、中学の間は学習のペースが自分自身に委ねられる、つまり勉強するもしないも自分次第、という恐ろしい一面もあります。かくいう私は、まさにその怖さを実感した側の人間で、ゆとりある環境に最大限甘え、ろくに勉強もせず、友達と遊んだり、漫画を読んだりして、だらだらと毎日を過ごしていました。当然成績は低迷し、またタイミング悪く、数学の授業では、中学受験でも苦労した図形問題が沢山出てきたので、残念ながら数学自体に苦手意識を持ってしまいました。当時の数学の先生が今の私の姿を見たら、ものすごく驚くかもしれません。

🖋 建築士って楽しそう!

さて、毎日をなんとなく過ごしていた私ですが、今でも思い

出すほど好きだったことが1つあります。それは「劇的ビフォーアフター」(朝日放送)というテレビ番組を見ることです。住みづらい間取りの家や古くなった施設を、匠(建築士)が、暮らしやすいステキな家へリフォームするという番組でした。リフォーム後の家には、私が思いつかないようなアイデアや工夫が凝らされていて、まるで魔法をかけられたようでした。「今度はどんな家に変身するんだろう」とワクワクしながら、欠かさず見ていたことを覚えています。この番組を通して、課題や問題点を汲みとり、住む人の思いに寄り添って家を造る、という芸術的な側面を持ちながらも、論理的に考えて物を完成させる仕事内容にとても魅力を感じ、建築士って楽しそう！と思うようになりました。

　中3になると、学校の授業では徐々に高校の学習内容が始まりました。それまで受験のプレッシャーとは無縁に過ごしてきた私でしたが、大学受験というものをわずかに意識するようになり、そろそろちゃんと勉強しないとまずいかもと、それまで見向きもしなかった数学に向き合ってみることにしたのです。勉強し始めてみると、意外にも数学を楽しいと感じる自分がいました。たしかに図形的な発想は苦手かもしれないけれど、式の力を使って、条件を論理的に捉え、自分の解答を作るという

のは、かつて好きだった中学受験の国語や、自分が感じた建築の面白さと似た部分があるような気がして、案外自分は数学に向いているのかもと思うようになりました。

🖋 「自分で好きなように考えればいい」

その後、高校へ進学。高2では、理系のクラスを選択しました。「女子なのに理系へ進むことに抵抗はなかったのか」とか「家族に止められたりしなかったのか」とたまに聞かれますが、そのようなことは全くありませんでした。私自身、文系より理系の科目の方が好きなものが多かったし、憧れている建築の世界も工学系なので、理系を選ぶのはある意味必然だったように思います。また、私以外の家族は皆、文系を専門としており、父からは「自分は文系なので、理系のことは全く知らないから、口出しをすることもできない。自分で好きなように考えればいい」と言われました。

さて理系に進みはしたものの、建築の世界に憧れがあるくらいで、具体的な進路はほぼ考えていなかった私でしたが、高2の頃、数学教師を目指す大きなきっかけとなった出来事がありました。それは、ある数学の先生の授業を受けたことです。その先生は、20代後半くらいの若い女性でした。それまでに習

ったことのある数学の先生はほとんどが男性で、恥ずかしなが
ら、当時の私は「理系分野は男性の方が得意なんだ」と思って
いました。なので、最初の授業を受けるまでは「この女性の先
生は、どんな授業をするんだろう」と、正直、少し上から目線
でいたことを覚えています。しかし実際に授業を受けると、そ
れまでに受けたどの授業よりも楽しかったのです。私は、数学
で面白さを感じるポイントは2つあると考えていて、1つは数
学自体の面白さ（美しさや神秘、といったものでしょうか）、も
う1つは論理的に物事を考える面白さです。その先生の授業
で感じた面白さは主に後者で、条件やポイントを言葉にして考
えることや、○○だからこう考えられる、という思考の隙間を
埋める作業がとても上手でした。私もこんな風になりたい！
と思ったのです。また、ちょうどその頃、数学が苦手な友人達
へ、休み時間などに数学を教えてあげていました。相手が分か
るように伝えるには、どのような言葉を選べばいいのか、そし
てどんな順序で伝えればいいのか、よく考えるようになり、い
つしか「千洋に教わると、よく分かる！」と私の補習は評判に。
そんな経験を通じて、数学教師という進路が現実味を帯びてき
たのです。

🖋 今決めた選択が絶対、ではない

　建築に憧れていた私に、新たに数学教師という夢もあらわれました。どちらもとても魅力的であきらめきれなかったため、大学受験の時には、建築士、数学教師を目指せる学部をそれぞれ受験し、合格した学部に合わせて、進路を決めることにしました。なんともいい加減な決め方ですが、後悔は全くしていません。もう一方の道に進みたくなったら、その時に考えればいいという気持ちでいましたし、今もこの考えは変わりません。皆さんの中には、大学受験までに進路を決めなくては、とか、一度その道に進んでしまったら後戻りはできない、と思っている人もいるかもしれませんが、実際はそんなことはありません。今決めた選択が絶対ではないので、今の自分の気持ちを大事にして進路を選んでよいのでは、と私は思います。

　さて、大学受験を経て、お茶の水女子大学理学部数学科に進学、数学教師の道を目指すことにしました。在学中は、講義の傍_{かたわ}ら、サークル活動とアルバイトに明け暮れ、充実した毎日を過ごしました。予備校講師のアルバイトでの経験は、現在の授業実践の力になっていると感じるし、サークル活動ではグループの運営に悩まされることも多くありましたが、今思えば、

この時苦労した経験も間違いなく今の私の力になっていると感じます。

　その後、同大学大学院理学専攻数学コースに進学し、修士課程を卒業しました。「教師になるには大学院まで進学した方がいいの？」と思う人もいるかもしれませんが、それは人それぞれです。私はあと2年、もう少し専門的な数学を学んでから、教える立場になりたいと考えたため、進学することにしました。

　大学院在学中には、数学の研究に加え、副専攻として探究力・活用力養成型教師教育プログラムに参加しました。数学教師という進路が、すぐそこまで近づいてきて、何か具体的に力をつけたいと思い参加することにしたのです。子ども達が自分自身の力で考え、学びを深められるような授業とは何か、お茶の水女子大学附属学校園での授業実践を通して考えていくというプログラムでした。内容はもちろんのこと、そこで働く先生方の姿を間近に見たことで、将来自分がなりたい姿を具体的にイメージできたのもためになったと思います。そして大学院修了後、在学中から講師をしていた現在の勤務校で、引き続き専任教諭として働くことになりました。今も分からないことや悩むことは沢山ありますが、学生時代に積み上げてきた経験が力となって自分を支えてくれています。

✏️ 将棋女子

　ここまでの内容を読むと、私がいかに長い間、女性中心の世界で生きてきたかが分かると思いますが、そんな中、唯一、ほぼ真逆の男女比の世界に身を置いているものがあります。それは将棋です。将棋人口の多くは男性で、町の道場や、大会に行っても男性ばかり。女性の私が行くと、変わった目で見られることもあります。将棋を指す女性は「将棋女子」と呼ばれ、少し特別視されています。リケジョと似ているかもしれませんね。そんな将棋界も、ここ最近、将棋女子の人口が増えています。大会に出ても、女性たちが男性と一緒に将棋を指している姿を普通に目にするようになり、変化を感じます。思うところがあ

っても、将棋を指すのが「好き」だから続けてきてよかったと思うし、これからもずっと続けていくつもりです。

　理系の世界に関しても、思いは変わりません。様々な理由で居づらさを感じることが今後あるかもしれませんが、それ以上に自分の「好き」や「得意」という気持ちを大事にしたいと思っています。そんな私たちリケジョの姿が、これから理系に進みたいと思っている皆さんの励みになるのならば、それ以上に嬉しいことはありません。

　あなたの心の中にある「好き」とか「楽しい」とか「得意」という気持ちが、今後の進路を決めるための一番のコンパスになるでしょう。私はリケジョの世界で、皆さんを待っています。

理系が活躍する
「弁理士」「知的財産」の仕事

柴田紗知子（あしたば国際特許事務所）

🔍 弁理士という職業

　皆さんは「弁理士」という職業を聞いたことがありますか。弁理士は知的財産に関する専門家であり、理系が活躍する法律系の仕事です。私は大学・大学院で物理学を学んだ後、特許事務所で働きながら弁理士試験に合格して弁理士になり、特許事務所や調査研究機関で知的財産の仕事をしてきました。知的財産というのは、人間の知的活動によって生み出されたアイデアや創作した物など財産的な価値を持つもののことです。弁理士が取り扱う知的財産には、特許（発明）、意匠（デザイン）、商標（ブランド）などがあります。

　「発明」と聞いて皆さんは何を思い浮かべますか。白衣や作業着を着た博士が研究に研究を重ねて苦労して完成させるようなイメージを持つのではないでしょうか。そのイメージのとおり発明をするのは企業などで研究や開発をしている、主に理系

の人です。機械・電気・情報・化学・医薬など、理系にも様々な分野がありますが、どの分野でもより便利な世の中、暮らしを実現するための発明がなされています。苦労して完成させた発明を、他人に真似されないようにするための手段の１つとして特許制度があります。特許は発明に対して与えられるものです。特許を取得すると、原則として特許を持つ者以外はその発明を実施することができません。特許の取得によって他人に真似されることなく、発明品を独占的に製造したり販売したりできるようになり、利益を得られます。特許取得は、企業が経済活動をする上で非常に重要なのです。

　特許を取得するには、特許庁に対して手続きをする必要があります。特許事務所で働く弁理士は、特許などの知的財産に関する特許庁への手続きの代理を主な仕事としています。弁理士は、発明をした人（発明者）や企業などから依頼を受け、特許取得の書類を作成して特許庁に提出（特許出願）し、特許取得まで、また取得後も力を尽くします。特許庁に提出する書類は、特許を取得したい発明を法律（特許法）などにしたがって文章で表現します。発明者とどのような特許を取得するかを話し合って書類を作成するため、発明を理解することが必要です。発明者の多くは理系出身であり、その発明を理解するには弁理士にも理

系の知識が必要になります。よって、特許を中心とした弁理士の8割弱は理系出身者で占められています。そのうち女性の弁理士は2割弱ですが、近年(令和5年度弁理士試験)では弁理士試験合格者の女性の割合が3割を超え、増加傾向にあります。理系出身の弁理士が、知的財産に関する国家資格を持つ専門家として、性別問わず幅広く活躍するようになりました。

🔍 私が「弁理士」「知的財産」に出合うまで

　私は山形県に生まれ育ちました。小さい頃は数字を覚えるのが大好きで、小学校入学前、おえかき帳片手に家の前を通る車のナンバープレートを表にしたり、友達の誕生日や電話番号を表にしたりしていたのをよく覚えています。また小3から中1まで珠算教室に通い、そろばん、暗算に励んでいました。当時はとにかく数字や計算、そして記録したりまとめたりすることが好きでした。小学校高学年ぐらいから気象予報士に興味を持ちました。

　高校1年生の1学期の終わりに文系・理系の選択が待っていました。またその選択にあたって、将来就きたい職業・仕事、その職業・仕事に就くために進学すべき学部、その学部に進学するために必要な理科(物理・化学・生物)と社会(世界史・日

本史・地理）の選択科目を書いて提出することを求められ、将来についてまだほとんどイメージできていなかった私は面食らいました。なんとなく理系に進みたいと思っていましたが、大学にはどのような学部・学科があるのかもよく分かっておらず、ましてやその先にどんな職業があるのか想像できませんでした。しかし1学期の化学の成績がよかったことや化粧品に興味があったことから自分なりに考え、将来就きたい職業・仕事は化粧品の研究開発、その職業・仕事に就くために進学すべき学部は理学部化学科か薬学部、その学部に入るために必要な理科は化学だと考えました。理科は2科目選択する必要があり、物理を選択したほうが進路の幅が広いと聞きかじり、選択しました。高校で物理を全く学習していない状態でしたが、それまでこれといった得意科目も不得意科目もなく過ごしてきたので特

に不安をもたないまま理系クラスに進みました。そんな調子で選択した物理でしたが、物理の授業が始まるとちんぷんかんぷんで、定期試験でも模擬試験でも思うように点が取れません。物理は不得意科

目となってしまいました。

　大学受験は、初めに考えていたとおり化学系を志望して臨みました。けれど合格は叶いませんでした。苦手の物理が足を引っ張ったと思います。予備校に通い、浪人生活を送ることになりました。苦手な物理を克服することを目標にして勉強に励みました。すると、苦手だった物理がみるみる分かるようになりました。高校では勉強しなかった、数学（微分・積分）を使った物理に予備校で触れたことが大きかったのです。それまでぼんやりと断片的だったものが体系的に見えるようになり、物理って楽しい、もっと勉強したいと思うようになり、秋には進路の志望を物理系に変更するまでになりました。浪人生活を経て、お茶の水女子大学理学部物理学科に進学しました。大学で学ぶ物理は非常に難しいものでしたが、おもしろくも感じました。中でも計算機（大規模コンピュータ）によるシミュレーションに興味を持ち、物性理論の研究室に所属しました。

　研究者になることも考えていましたが、大学院進学後に講義で知的財産と弁理士の仕事を知り、興味を持ちました。発明を書類にまとめて特許取得のサポートをすること、外国とのやり取りが多く読み書き中心ではあるけれど英語を使う仕事であることなども知り、大学生の頃から英会話教室に通ったり海外旅

行をしたり、また研究でも英語を使う場面が多かった私は、自分の得意なことややりたいことに合っていると感じました。そこで、大学院修士課程修了後、特許事務所に就職し、知的財産の世界に飛び込みました。

知的財産の仕事

特許事務所では、まず特許技術者として国内外の特許出願に関する補助業務を行いました。医療機器や事務機器などを担当し、大学で学んだ物理学の知識が発明を理解するのにとても役に立ちました。また、働きながら弁理士試験の勉強をしました。弁理士試験は1年に1回行われる国家試験で、1次試験(選択式マークシート)、2次試験(論文記述)、3次試験(口述面接)があります。いずれも知的財産に関する法律の知識を問う試験で、最終合格率は数%です。弁理士試験に合格するまでの勉強時間は最低2000時間などと言われています。法律を本格的に勉強するのは初めてでしたが、弁理士試験の予備校の通信講座などを利用して、仕事の後や休日などにコツコツと勉強して合格することができました。弁理士試験の合格者は30代が最も多く、私と同じように働きながら勉強した人がほとんどです。

弁理士になってからは、特許出願だけでなく、特許の権利活

用などにも関わるようになり、仕事の幅が拡がりました。特許
事務所で10年ほど働いた後、日本弁理士会からの出向研究員
として知的財産研究所という調査研究機関で働きました。知的
財産研究所は、特許庁などから委託を受け、国内外の知的財産
に関する課題についての調査研究などを行っている団体です。
特許事務所での仕事が目の前の顔の見える人に喜んでもらうた
めの仕事だとすると、知的財産研究所での仕事は世の中全体が
よりよい方向に向かうためにどのような知的財産制度が望まれ
るかを明らかにしていく仕事でした。知的財産が世の中でどの
ように役に立っているのかを改めて考える機会となりました。
また、研究員の仕事の一環で大学院の知的財産の講義も担当し
ました。私自身が大学院での知的財産の講義から知的財産に興
味を持ったので、講義をする立場になって感慨無量でした。

　現在はまた、特許事務所で弁理士として働いています。特許
だけでなく意匠、商標の仕事もしています。特許ではこれまで
経験してきた分野に加え化学分野に力を入れており、意匠の仕
事にも積極的に取り組んでいます。意匠（デザイン）は特許以上
に他人に真似されやすいので、適切な意匠権を取得することで
模倣を防ぎ、デザイナーの創作意欲向上に努めています。知的
財産研究所での経験を経て、知的財産に対する広い視野を持っ

て仕事ができるようになりました。

🔍 リケジョのたまごの皆さんへ

　知的財産の仕事をしている人には、世の中のことに対して幅広く興味を持っている人がとても多いです。特許を取るような発明は最先端の技術も多いので新しい技術について日々勉強し、法律も頻繁に改正があるので法律の勉強も欠かせません。知的財産の仕事に就いて十数年経ちますが、今も新しいことを吸収して成長していると日々感じています。

　私は飛び抜けて得意な科目も苦手な科目もなく、結果的に理系に進みましたが、理系の知識(理科や数学)、法律の知識(社会)、文章力・表現力・語学力(国語や英語)、芸術(図工や美術)など、学校でずっと学んできた知識を使う今の仕事に就きました。苦手意識なく取り組めることが強みになっています。

　高校では、将来就きたい職業・仕事からその職業・仕事に就くために進学すべき学部を逆算しましたが、医学部(医師)や薬学部(薬剤師)など、進学する学部が職業に直結している場合は別として、中高生が思い浮かぶ職業・仕事には限界があります。私自身、中高生の頃は知的財産という言葉も弁理士という職業も全く知りませんでした(弁理士の7割弱が関東地方に集中し

ていることも弁理士を知らなかった理由の1つかもしれません）。また、弁理士として最先端の技術に触れながら働いていて強く感じることですが、技術の進歩によってなくなる仕事もあれば新たに生まれる仕事もあります。将来就きたい職業・仕事を意識しすぎず、自分の興味のある分野を学ぶことを重視して思う存分学ぶのもよいと思います。私は元々苦手だった物理を克服したことに始まり、物理をもっと学んでみたいという興味関心から理学部物理学科に進学し、物理を思う存分学ぶ中で知的財産に出合い、弁理士になりました。また、法律の仕事をする上で、理系に進んで身に付いた論理的な思考はとても役に立っています。

　大学入学後のオリエンテーションで心に残っていることがあります。同じ学科の友人が教授に対して「物理学科で学んだり研究したりすることは何かの役に立たなくてもよいのですか？」と質問しました。教授は「役に立つことを目標としなくてもよいと思う」と答えました。苦手克服をきっかけに物理をもっと学びたいという気持ちで物理学科に入学した私にとってその答えはとても嬉しいものでした。

　皆さんも、好きなことを学びたいという純粋な気持ちを大切にしてください。大切なのは好きな気持ちと意欲だと思います。

皆さんがこれから興味のある勉強を続けていく中で、きっとよい出合いがあり、やりたいことが見つかるでしょう。

自分の「核」の見つけ方
——「好き」から始まる?!

水戸晶子（文部科学省）

　初めまして。私は、大学院で生物化学の研究をした後、国の行政機関で働いています。きっと中学生の皆さんにはあまり身近ではないキャリアパスだと思います。「なぜ理系で公務員？」「研究とのつながりは？」と思われる方もいるでしょう。人生の岐路でどのように考えて進路選択をしてきたのか、私のこれまでの歩みを紹介しながらお伝えできればと思います。

父の影響

　私が理系に進んだのは、水産資源の研究者である父の影響が大きかったと思います。転勤が多かった父について、幼少期は静岡県、幼稚園の年長から小学4年まで沖縄県の石垣島（いしがきじま）に住んでいました。父の書斎（しょさい）には魚類図鑑や学術書がずらっと並んでいて、私は毎日書斎で本を広げていたそうです。図書館にも家族に連れられてよく通っていました。小学校に上がってから

は、父が研究している隣で勉強するのが私の日課でした。

父は、職場に行く時「研究所に行く」と言っていました。そのせいでしょうか、私にとって「研究」というのは日常の言葉で、自然と将来は研究者になるものだと思っていました。

なぜ理系に進学する女性が少ないのか？という議論の際、保護者の方が「女の子は文系」という意識を持っていることがよく指摘されます。我が家では全く逆で、「お父さんに似ているから理系だね」と言われて育ちました。これもある種の刷り込みですね……。

小1の時の担任の先生が、非常に自主性を重んじる方で、その後の勉強の仕方に大きく影響しました。決まった宿題はな

い代わり、毎日最低1ページ家庭学習するのが決まりでした。たくさんやると表彰されるので、友達と競って勉強したことを覚えています。また小3で入部したマーチングバンドでは、放課後、土日と練習漬けの毎日でしたが、そのおかげで全国大会で金賞を受賞することができました。石垣島での生活で「自主性」と「継続する力」が養われたと思います。

　祖父の介護が始まったため、石垣島から北海道へ転勤が決まった父は単身赴任となり、母と私は、祖父のいる千葉県に引っ越しました。小4の時でした。この頃、文部科学省を認識した出来事がありました。「ゆとり教育」の開始です。完全週休2日制導入に伴う授業時間や学習内容の削減に対して、どのメディアも批判的にかつ大きく取り上げていて、私もすっかり感化され、「どうなる学力」という当時の新聞連載のタイトルを使って作文を書いたこともありました。同時期に拉致被害者の北朝鮮からの帰国や米国同時多発テロなどがあり、社会問題に興味を持つようになりました。勉強に目覚めた（？）のもこの頃です。受講していた通信教育に真面目に取り組み、教科書の問題をあらかじめ解いて、算数パズルをやって……と、勉強することがとても楽しかったです。進学した地元の公立中学校では数学の授業が好きで、小川洋子さんの小説『博士の愛した数

式』にはまり、数学者になりたいと思ったこともありました。

　県立高校の理数科に進学した私は、ここで化学と運命的な（？）出会いを果たします。理数科は普通科よりも化学の授業時間数が多く、ほぼ毎日実験がありました。それだけではありません、研究所見学や大学での研究体験の機会もあり、高校にない機器を使った実験ができて心が躍（おど）ったことを覚えています。こうして私はますます化学が好きになりました。

進路を決める

　高校卒業後は、化学を学びたいということがはっきりしていた私は、理学部化学科を目指すことにし、何校かのオープンキャンパスにも参加しましたが、なかなか志望校を決められずにいました。ふわふわとした気持ちで勉強をしていた高3の夏休み、ふと思い立ってお茶の水女子大学の見学に行き、ここだ！と思いました。決め手は雰囲気（ふんいき）です。キャンパスが自分の庭のように身近に感じられたのです。志望校を決めてからは受験勉強にも身が入り、無事に合格することができました。

　実は受験生の頃、自分は本当に理系なのだろうか？と悩んだことがあります。数学や物理がどんどん高度になり、理解が難しい部分も出てくる中、国語だけは安定して点数を取れていた

からです。点数を取れるのが国語だから自分は文系と思うのは短絡的だったなあ、と今は思いますが、点数で争う入試では、高校生が得意な科目で受験先を考えるのは無理のない話です。大学生になって感じたのは、学問の幅広さは高校の科目とは全然違うということ。私は「化学が好き・得意」で理学部化学科に進学しましたが、大学では、社会学や教育心理学にも興味を持ちました。進路を考える皆さんは、科目の得手不得手・好き嫌いだけでなく、どんなことに興味があり、それはどんな学問につながっているのかを、先輩の話やオープンキャンパス、公開授業への参加等を通じて探ってみたら良いと思います。

🔍 大学・大学院の日々

　大学では、とにかく毎日勉強していました。化学科は必修科目が多く、教職課程も履修していたので、受験生の頃よりも勉強したと思います。そんな私が、その後、文部科学省を志すきっかけとなる２つの出来事に出会ったのは、大学生活も半ばを過ぎた頃でした。１つは、つくば市にある国の研究機関でのインターンシップです。研究も楽しかったのですが、一番に印象に残ったのは、若手研究者の雇用の不安定さなど研究環境に関することでした。これをきっかけに研究者がより良い環境で

研究できるようにする仕事をしたいと考えるようになりました。もう１つは、大学の附属中学校での教育実習です。自分の出身校と授業やテストのレベルがその環境も含めて全く違うことに衝撃を受けました。格差は連鎖するといわれていますが、私は、教育にはそれを乗り越える力があると信じています。日本のどこに住んでいても質の高い公教育を子ども達が受けられるようにしたい、と考えるようになりました。

　大学４年生からは生物化学の研究室に所属しました。研究室に入ると、平日は１日中研究室で実験したり、データをまとめたり、論文を読んだりします。所属研究室では、レクチンという糖鎖に結合するタンパク質を研究対象としていました。私はZG16p（ゼットジージュウロクピーと読みます）というレクチンが、体内でどのような働きをしているかを調べることになりました。ZG16p は、大腸で粘液を分泌する細胞（杯細胞）で作られ、腸管内に分泌されることが先行研究で明らかになっていましたが、役割は不明だったので、様々な仮説を立てて実験を行いました。しかし、修士課程進学後も論文になるような実験結果が得られず、不安な日々を過ごしていました。

　そんな時、お茶の水女子大学が文部科学省の「博士課程教育リーディングプログラム」に採択されました（以下、リーディ

ング大学院）。リーディング大学院は、大学や研究機関以外でも活躍する博士人材を育てることを目的とし、お茶大のプログラムは他分野の学生とのチーム研究と国内外でのインターンシップが目玉でした。私は、「研究室の研究に専念することで視野が狭くなってしまうのでは？」、「社会で活躍するためには、専門分野以外も高いレベルで学んでおくべきではないか？」と感じていたので、強い興味を持ちました。しかし修士課程修了後には就職するつもりでしたし、博士課程への進学が必須となることにためらいもありました。大学の先生からは強く勧めていただきましたが、父は日本では博士への評価が必ずしも高くない現状から、研究職に就かないのなら博士課程に進学する必要はないという考えでした。最終的に、「やらずに後悔したくない」、「新しい大学院教育を体験してから文部科学省に入りたい」と思い、リーディング大学院に進むことにしました。大学院では、情報科学専攻の学生と教育をテーマに共同研究を行い、最終的には、2人で考えた授業を高校生に対して実践することができました。チームメートの研究への姿勢なども大いに刺激になりました（彼女は現在、大学教員として活躍しています）。さらに、国内のIT関連企業、文部科学省、オランダの研究機関でそれぞれ約3カ月間インターンシップを行うなど、非常

に幅広い経験をさせていただきました。

　一方、主専攻の研究も待ってはくれません。ZG16p の研究はなかなか上手くいかず、苦しい状態が続いていました。ある時、ZG16p を過剰に作る大腸がん細胞は、通常の細胞と比べると増えるのが遅いと気付いたことが突破口になりました。ZG16p を培地(細胞が育つ栄養が入った液体)に混ぜて、大腸がん細胞を培養したところ、大腸がん細胞の増殖が抑えられたのです！ これが修士 2 年の秋のことでした。これでなんとか論文を出せる！と希望が見え、その後は ZG16p がどうやって細胞増殖を抑制するのか、そのメカニズムを明らかにすることを目指して研究に励みました。私が明らかにできたのはごく一部でしたが、論文が出版された時は、自分の研究を世に出せたという喜びが大きかったです。そして、無事に博士号を取得することができました。博士号を取得して実感したことは、研究は 1 人ではできないということです。私の研究も、指導教員のご指導や、研究室の仲間たちとの議論、実験補助員の方の協力など、多くの方に支えていただきました。また、大学院での研究やインターンシップを通じて培った「考える力」、「最後まで諦めずにやり遂げる力」、「複数の仕事を進める調整力」などは、就職してからも役立っています。

📍 文部科学省で働き始めてから

　博士課程1年の時に国家公務員試験（総合職）に合格し、3年時に官庁訪問（希望する省庁での採用面接）をして文部科学省に入省しました。入省してから研究振興局、科学技術・学術政策局、初等中等教育局で仕事をしてきました。2023年に高等教育局に異動し、念願だった大学院教育を担当することになりました。博士人材が社会で幅広く活躍できるよう、日々仕事に励んでいます。

　さて、少し話はそれますが、もしかしたら同じ境遇にいる方がいるかもしれないと思い、「女性が社会で活躍すること」についても少し触れておきたいと思います。私が中学・高校時代を過ごした地域は保守的な考えが残っていて、女性がリーダーとなることをあまり良く思わない雰囲気がありました。先生からも面と向かって「生徒会長は男子が良いと思う」と言われたこともあります。そのような地域はきっと今も残っていると思いますし、そんな環境で育った場合、女の子は「自分はリーダーになるべきではない」と考えてしまうかもしれません。でも、今は昔と比べて制度も整い、意識も変わりつつある過渡期です。

　文部科学省は、比較的幹部・管理職への女性の登用が進んで

いますが、それでも、まだまだ男社会だと感じる場面があります。そんな中で、後の時代を担う女性がもっと活躍できる社会になるように取り組んでいくことが私の役割なのではないか、と最近思うようになりました。昔より働きやすくなっているのも、先輩達が道を切り拓いてきてくださったおかげです。今度は、私達の世代が「女性が自分らしく生き生きと過ごせる社会」の実現を目指し、道を切り拓く番です。その結果、皆さんが周りを気にせずに、やりたいことを素直にやりたいと言えるようになったら嬉しいです。

🔍 自分の「核」を見つける！

　ここまで読んでいただき、いかがでしたか？　「順風満帆」と思われる方もいるかもしれませんが、苦しいこともあったし、やりたいと思ったことをやらずに後悔したこともあります。でも、そんな経験があるからこそ、その後、何事にも積極的に取り組めるようになったのかもしれません。

　今はまだ何をやりたいのかよく分からないという方は、まずは好きなことに全力で取り組んでみると良いと思います。将来の夢が決まっている方も、視野を狭めずに、興味があると思ったことは何でもやってみてください。上手くいかなかったとし

ても、自分は何が得意なのか、何が好きなのかが分かるきっかけになるかもしれません。何かに全力で取り組んだ経験は、どの道に進むことになっても必ず役立つはずです。そして、たくさんの経験を積み重ねる中で、自分の「核」を見つけてください。応援しています。

やりたいことを追いかけて

加藤美砂子（お茶の水女子大学）

新しいことを知りたい！

　私は植物がうまく生きていくしくみを研究する植物生理学という分野を専門とする研究者です。大学で生物学も教えています。そう言うと、小さい時から理系科目が得意だったのですねと言われることがありますが、決してそうではありません。ただ、小さい頃から勉強が好き、もっと平たく言いますと新しいことを知り、その知識を元に、さらに次のことを知りたいと思う子どもでした。そんな私は本を読むのが大好きな子どもでもありました。読書は今まで知らなかった世界に私を連れていってくれるからです。

楽しいことをやりたい！

　中学に入学し、部活は自分が楽しいと思えることをやりたいと考えました。理科も好きな科目の一つで、特に実験が大好き

な私は、生物部を選びました。家で犬や猫などの生き物を飼っていたわけではなかったのですが、生物が生きていくしくみに興味がありました。

　当時、私が通っていた学校は中高一貫校のような形態で、中学1年から高校2年生までが一緒になって部活動を行います。やりたい実験を生徒たちが考えて、顧問の先生に相談しながら行うやり方でした。忘れもしない中学1年の実験のテーマは、「リンゴの変色の謎を解く」でした。リンゴの皮を剝いて放置するとリンゴに含まれる成分が酸化されて褐変します。食塩水（塩化ナトリウム）に漬けると、それが抑えられることはよく知られています。「塩化」を意味する塩素に効果があるのか、それとも「ナトリウム」に効果があるのか検証することを目的に、化学室から実験に必要な薬品をもらってきて、リンゴにかけまくった結果、チオ硫酸ナトリウムが最も褐変を抑えるのに効果があるという結果を得ることができました。そのため、褐変を抑えるのは「塩化」ではなく「ナトリウム」だと推定しました。化学構造式も酸化還元反応も全く知らない時期に、ない知恵をふりしぼって考えた無謀な実験計画であり、仮説の立て方も間違っていて、この結論は正しいわけではありません。でも実験をして結果が得られる嬉しさ、その結果をめぐってあれこれ考

える楽しさを体験したことは、その後の私の人生に大きな影響を与えました。中1から高2まで活動した生物部では、その他にゾウリムシを飼ったり、方形枠を使って校庭の植物の群落調査をしたり、卵白からアミノ酸を抽出して薄層クロマトグラフィーで分離したり、お茶の葉からカフェインを抽出したりと興味の赴くままに様々な実験をしました。

　高校では生物が一番好きな科目になりました。一方で読書は続け、気に入れば読みあさり、挙句にその小説家のお墓参りにまで行ってしまうという破天荒さでした。また、私は生物だけでなく、化学も好きでした。元素記号を学んだ後は、化学反応式を書いただけでワクワクしてしまうほどでした。高1の生物の授業で、光合成で二酸化炭素を取り入れるカルビン回路（現在は、カルビン・ベンソン回路と表記されています）を習って、衝撃を受けました。これまで、私が習ってきた化学反応は右から左、あるいは左から右への一方向の物質の変換でした。ところが、カルビン回路は、化学反応が連なり、また元の物質に戻っていくという、まさに「回路」で、東京の山手線みたいだと思いました。生き物の中で、このような効率的な連続性のある化学反応が起きていることを知り感動しました。生命を維持するしくみって、なんてうまくできているのだろうかと思い

ました。そうした体験が、大学で生物学を学びたいという気持ちにつながっていきました。そこには2人の生物の先生との出会いもありました。1人は、中学時代に生物部の顧問だった先生、もう1人は、高校でカルビン回路を教えてくださった先生です。いつしか、その先生方の母校であるお茶の水女子大学理学部生物学科を目指すようになりました。とはいえ、数学が得意なわけでもなく、受験勉強は数学の問題ばかり解いていた記憶があります。理系進学を決めたからには、生物学科で学びたいという目標に向かって努力する日々でした。私が在籍していた女子高校は、私立文系の大学に進学する生徒が圧倒的に多く、理系の大学に進学したい生徒は1割以下でした。そのような環境で志望を維持するためには、強い意志も必要でした。理系の大学に進学したいと両親に伝えると、大変、驚かれました。理系に進学する女性は今よりも、もっと少ない時代でした。大好きな本は家でも読めるけれど、実験は学校でないとできないから理系に進学するという宣言をした私に対し、両親は説得力のある理由だと思ったらしく、それ以上、何も言いませんでした。

🖉 大学・大学院での学び

　念願がかない、私はお茶の水女子大学理学部生物学科に入学しました。これで思う存分、生物学を学ぶことができるという喜びは何ものにも変え難いものでした。当時の生物学科のクラスは 25 人でした。入学時の自己紹介の時に私以外にも高校の生物部の部長経験者がたくさんいることがわかり、とても嬉しかったのですが、反面、とんでもないところに来てしまったと思った記憶があります。生物学の勉強はもちろんのこと、サークル、アルバイト、旅行にも精を出し、典型的な大学生活も過ごしました。その頃は、まだ卒業後の明確なビジョンを持ってはおらず、卒業したら製薬会社の研究所で働ければいいかも……くらいのぼんやりした希望しかありませんでした。

　4 年生になり、卒業研究のために私は、植物生理学の研究室に入り高校生の頃から興味があった生物の中で起こる化学反応、なかでも植物の代謝の研究を行う道を選びました。

　それからは毎日、研究室に通い、実験三昧^{ざんまい}の毎日となりました。自分で考えて実験をして結果を出して考える、次はどのような実験をしたら先に進むことができるのか考える、その繰り返しによって研究は進んでいきます。さらに研究を続けたいと

思った私は、大学院(修士課程、2年間)に進学することにしました。ところが、9月の大学院の入試に落ちてしまいます。天地がひっくり返ったようなショッキングな出来事でした。

　大学院の入試は2月にもあり、私はかなり受験勉強をして合格することができました。実験は大学院生になったらいくらでもできるから、まずは、受験勉強をするようにと指導教官や周囲の先生達、同級生、研究室の先輩に励まされ続けた5カ月間でした。両親は、好きなことをしたほうがいいからと、私のことを黙って見守ってくれました。周囲の人達の温かさが私に、これからを生きていく新しい生命を吹き込んでくれたのだと思います。修士課程では、植物の老化に伴うクロロフィル分

解機構に関する研究を行いました。そして、さらに大きな研究の世界に飛び込むために、私は、東京大学大学院の博士課程を受験し、進学しました。

　植物を暗い場所で発芽させるとモヤシのように黄色の植物になります。この黄色い葉を持つ植物に光をあてると緑色になります。このように植物の葉が黄色から緑色になる過程で脂質の生合成がどのように変化していくのかという研究を行いました。博士課程での研究は全てが順調に進んだわけではありません。博士課程2年の時に、私は、脂質の合成に関与する酵素(タンパク質)を植物から取り出すことにチャレンジしました。1年近くかけてこの実験に取り組みましたが、目的の酵素を取り出すことができず、実験を中止することになりました。好きだから、やりたいからという理由だけで、博士課程の学生は研究を続けるわけにはいかないのです。非常に残念な撤退でしたが、この時に修得した酵素を取り出すための技術が、何年かしてから非常に役に立つことになるとは、悔しいの一言しか出なかった当時には思いもよらないことでした。酵素を取り出すことはできませんでしたが、その他の実験結果をもとに博士論文を書き上げました。

🖋 研究を仕事にする

これまでの研究で培った課題解決能力や実験技術を活かして研究を行う場を探していた私は、株式会社海洋バイオテクノロジー研究所の研究員となりました。

この研究所は、未利用の海洋生物資源を活用するための基礎技術を開発し、新たな産業基盤を開拓するとともに、基礎的研究の面で国際的な貢献を果たすことを目的としていました。私は静岡県にある研究所に勤務することになりました。主な研究は、石油分解菌の解析でした。その頃、原油を積んだタンカーが海難事故に遭うことにより原油が流出し、深刻な海洋汚染を引き起こすことが問題となっていました。流出した原油は油吸着剤で油を吸い取るというような方法で除去されますが、一部は回収しにくい形となって海岸に漂着したり海底に沈んだりします。このような油を細菌（バクテリア）に分解させることにより環境修復をするというプロジェクトでした。

いくつものグループに分かれて実験を行いました。私は石油分解菌の能力の評価や、石油の分解経路を調べる実験を担当しました。この研究所で初めて私は数十人での大規模なプロジェクト研究を体験します。これまでは自分の興味・関心に従って

研究をしてきましたが、このときに「世の中の役に立つ研究」を意識するようになりました。

　この研究所では、大きな研究用の船を持っていました。船の中に、実験室が設置されています。研究船に乗り、オーストラリアやパラオに行く過程で海洋から海水を採取して、海水中の細菌や微細藻類(植物性プランクトン)を分離し、実験をしていました。航海の途中に、無事に赤道を越えたことを祝う赤道祭を研究員と乗組員全員で行ったことは、生涯で忘れられない思い出となりました。

　5年間の研究所での勤務を経て、私はお茶の水女子大学理学部生物学科の助手となります。修士課程を修了して10年間、外部で修行をし、今度は学生ではなく先生として大学に戻り、教育と研究を行うことになりました。一緒に研究を行う教授の勧めもあり、最初に取り組んだのは、お茶の葉に含まれるカフェインを作る酵素に関する研究でした。私は、前述のように、博士課程の大学院生だった時に目的の酵素を完全に取り出すことができませんでした。しかし、その時に苦労した経験が非常に役に立ち、お茶の葉からカフェイン合成酵素を取り出すことに成功しました。さらに、この酵素タンパク質をコードする遺伝子を世界で初めて明らかにすることができました。この成果

は、2000 年に Nature という世界でよく読まれている科学誌に掲載することができました。高校の生物部の活動で、カフェインを取り出す実験を行ってから 22 年後のことでした。

　現在は、カフェイン生合成に関わることだけでなく、研究所に勤務していた頃に扱った微細藻類を用いて有用物質生産を目指す研究も行っています。また、大学の先生になったばかりの頃にはなかった、大学を運営するという仕事が加わりました。組織の運営は、理系とか文系とか区別して正解に辿り着くものではありません。大学受験のために、高校では理系クラスと文系クラスに分かれることが多いのですが、社会に出た時に理系と文系はスッパリと縦に 2 つに分かれるものではないと実感することが多くなりました。どこかで必ずつながっているのです。それでも、私は、理系を選んで本当によかったと思っています。好きな分野を思いっきり追究することで培われた論理的な思考力、多くの経験は私の財産として、人生を支えてくれています。

🎷 自分を信じて

　人生を振り返ると、思い悩むことがたくさんありました。理系か文系かの進路選択以外にも何かを選ばなければならないシ

ーンに数多く遭遇してきました。その度に思ったことは、真摯に物事を受け止めて自らが下した決断は、そのときの最高の判断だということです。決して後悔しないこと、自分を信じて進んでいくこと、この2つを大切にすることが、きっと、皆さんの理系進路選択をそっと後押ししてくれるのではないかと思っています。

執筆者一覧

本書を執筆くださった方たちの横顔を紹介します。出身地、大学・大学院での専攻のほかに、中学・高校時代に影響を受けた作品を挙げてもらいました。

中原有希子（なかはら・ゆきこ）
●埼玉県出身。大学・大学院では栄養学を専攻。
●元国連難民高等弁務官・緒方貞子さんの『私の仕事――国連難民高等弁務官の10年と平和の構築』（朝日新聞出版）が、中学生の私に国際協力の道を示してくれました。これからも「国際協力×栄養」の2軸でキャリアを歩みたいと考えています。

伊藤舞花（いとう・まいか）
●神奈川県出身。大学・大学院では生物学を専攻。
●マーガレット・ミッチェル作の『風と共に去りぬ』（岩波文庫）は、激動の時代を不屈の精神で生き抜く主人公から、どんな状況でも前を向く強さを教えてもらった作品。今でも読むたびに勇気をもらいます。

森 麻紀（もり・まき）
●神奈川県出身。大学・大学院では情報科学を専攻。
●『SLAM DUNK（スラムダンク）』（井上雄彦、集英社）の安西先生の「あきらめたらそこで試合終了ですよ」というセリフが好きです。つらいな・やめたいなと思うことがあっても、このセリフを思い出し、自分を奮い立たせます。

鵜沢美穂子（うざわ・みほこ）
●千葉県出身。大学・大学院では生物学を専攻。

●道端のコケを見つけた後に、高校の図書室にあった図鑑『日本の野生植物　コケ』（岩月善之助編、平凡社）を手に取った。図鑑からコケの多様性を感じたことが、この世界にのめりこむきっかけの1つになった。

勢古口 遥（せこぐち・はるか）

⚫和歌山県出身。大学・大学院では生活工学を専攻。

⚫アニメ映画『パプリカ』（監督：今敏、2006 年）。ストーリー・ビジュアル・音楽すべてが素晴らしく、強烈。自身の感性を活かして表現すること、創造することへの憧れを強く感じた作品です。

戸井智子（とい・さとこ）

⚫神奈川県出身。大学・大学院では化学を専攻。

⚫映画『ショーシャンクの空に』（監督：フランク・ダラボン、1995 年）を観たときの感動が忘れられません。どんな暗闇でも必ず明かりは差すことに勇気をもらいました。友情と希望の大切さを教えてくれた名作です。

樋田朋子（ひだ・ともこ）
●東京都出身。大学・大学院では環境学を専攻。
●中学生の時に読んだ漫画『MAJOR（メジャー）』（満田拓也、小学館）の、逆境に負けない主人公達の姿から影響を受けました。大人になった今も時々振り返って読んで、「私も頑張ろう」という気持ちになります。

小林千洋（こばやし・ちひろ）
●埼玉県出身。大学・大学院では数学を専攻。
●中学生の時、読書感想文の課題図書であった『博士の愛した数式』（小川洋子、新潮社）を読み、数学のもつ不思議な魅力を知る。数学教師になった現在でも何度も読みかえす、大事な一冊。

柴田紗知子（しばた・さちこ）

●山形県出身。大学では物理学、大学院ではマテリアル工学を専攻。

●推理小説や漫画が好きで、特に『名探偵コナン』(青山剛昌、小学館)の「霧天狗伝説殺人事件」が好きだった。トリックに出てくる計算式(物理法則)が成り立つか調べたり計算したりしていた。

水戸晶子（みと・あきこ）

●千葉県出身。大学・大学院では化学を専攻。

●ミステリーが大好き。名探偵コナンの映画『天国へのカウントダウン』(監督：こだま兼嗣、2001年)に出てくる計算式を物理で習ったときは大感動。化学の先生にお願いしてルミノール反応を見せてもらったことも。

おわりに

　日本では理系分野で学んで社会で活躍する女性が諸外国に比べ、まだまだ少ないという現実があります。

　2019年のデータによれば日本の大学に入学する女性のうち、工学部を含む理系に入学する女性は7%であり、OECD（経済協力開発機構）の平均15%の半分以下です。

　そのような数少ない理系女性になる道を選ぶなんて不安だし、きっと苦労するだけの人生になるに違いないなんて消極的に考えないでください。

　社会は理系で学んだ女性たちの活躍を切望しています。

　今後、理系分野で学ぶ女性は少しずつ増えていくことと思いますが、その増加を加速させることが社会から求められているのです。

　私たちは、女子中高生の皆さんに、もっと理系分野のことを知ってもらいたい、さらに、中高を卒業した後に理系分野を専門的に学ぶという選択肢を考えてもらいたい、理系分野で学んだ後には多彩な活躍の場があることを知ってもらいたいと思っ

ています。

　そのため、お茶の水女子大学では 2015 年から継続してリケジョ−未来シンポジウムを開催しています。

　この本の執筆者はシンポジウムにおいて理系分野を専門的に学んだ経験をお話しされた、皆さんの応援団です。しなやかに、たくましく、人生を切り拓いている先輩たちです。

　未来のことは誰にもわかりません。わからないからこそ、あれこれと、思い悩みます。遠い未来を思い描きながら、ちょっと先の将来を真剣に考えたい中学生や高校生に、理系分野で学んだ先輩たちからのエールを届けたいという思いを凝縮させ、この本ができました。

　人の数だけ人生があり、その中にドラマがあります。理系に進路を決めた理由は人それぞれですが、「好き」なことを大切にしながら、その先に続く学びや仕事に真剣に向きあうことは、豊かな人生につながっていきます。

　「好き」なこと、つまり興味や関心のあること、ワクワクすることを見つけると、人は強くなれるのです。

　しかし、皆さんの中には、自分の興味や関心がどこにあるのかわからずに、もやもやした気分を抱えている人もいるでしょう。でも、大丈夫。いろいろなことにアンテナを張り、チャレ

ンジすることで、いつか、自分がやりたいことが見えてくる瞬間があります。その瞬間を見逃さない自分を育ててください。

　皆さんが、ご自分の理系進路選択に自信を持って未来に向かって歩んでいくことを心から願っています。

　著名な詩人が綴ったように、皆さんの後ろに道ができるのです。そして、いつの日か、本書に登場する先輩たちを超えていってください。

　　2023年12月8日

　　　　　　　　　　　　　　　　　加藤美砂子

イラスト　金井真紀

加藤美砂子

お茶の水女子大学理事 副学長、理系女性育成啓発研究所所長。東京都出身。お茶の水女子大学理学部生物学科卒業、同大学院修士課程修了。東京大学大学院理学系研究科博士課程単位取得満期退学、理学博士（東京大学）。学生時代は、小椋佳の『大空から見れば』という歌がお気に入り。新しい可能性に向けてチャレンジする人の背中を押してくれるような歌詞を心に刻む。カフェインなどの植物に特有の代謝産物の生合成に関する研究を行っている。動くことができない植物の生存戦略を知りたいと思い半世紀。最近は、微細藻類を利用した油脂（バイオ燃料）生産の研究も手がける。

岩波ジュニアスタートブックス
「好き！」の先にある未来——わたしたちの理系進路選択

2024 年 2 月 15 日　第 1 刷発行

編著者　加藤美砂子
　　　　（かとうみさこ）

発行者　坂本政謙

発行所　株式会社 岩波書店
　　　　〒101-8002 東京都千代田区一ツ橋 2-5-5
　　　　電話案内 03-5210-4000
　　　　https://www.iwanami.co.jp/

印刷・三秀舎　製本・中永製本

Iwanami Junior Start Books
岩波 ジュニアスタートブックス

なぜ私たちは理系を選んだのか
——未来につながる〈理〉のチカラ

桝 太一

宇宙飛行士、小説家、アスリート、ユーチューバー……、さまざまな分野で活躍する理系出身の先輩達が、理系から広がる多様な世界の魅力を語ります。

なりたい自分との出会い方
——世界に飛び出したボクが伝えたいこと

岡本啓史

将来の夢、決まってなくてもだいじょうぶ！ 学び方・働き方が多様になる時代、色々な国と仕事を経て国際協力機関で働く著者がススメる自分らしい生き方。

岩波書店
2024 年 2 月現在